535,-

D0230160

Nooit meer ontwaken

Copyright © Anita Van Gils, Kerkeveld 25, 3370 Boutersem.
D/1993/5997/2

Alle rechten voorbehouden. Niets uit deze uitgave mag worden verveelvoudigd en/of
openbaar gemaakt door middel van druk, fotocopie, microfilm of op welke andere wijze
ook, zonder voorafgaande schriftelijke toestemming van de uitgever.

All rights reserved. No part of this book may be reproduced in any form, by print,
photoprint, microfilm or any other means, without prior written permission from the
publisher and the copyright owner.

Nooit meer ontwaken
Ervaringen omtrent wiegedood

ISBN 90-5388-008-9

1ste druk: oktober 1993
2de druk: december 1993
3de druk: september 1994

Nooit meer ontwaken

Ervaringen omtrent wiegedood

van
Anita Van Gils
Patricia Joris
Dany Van Nimmen
Kristel Wijnen
Carine Decamps
Liesbeth Philips
Chris Vandenberghe

Gemeentelijke Openbare Bibliotheek
Erpe - Mere
Oudenaardsesteenweg 458
9420 ERPE - MERE

Uitgeverij

Deeltijdse Plaatselijke
Openbare Bibliotheek
ERPE-MERE

2000 /1575 | 6 05 2

Inhoud

Voor Karentje, Gertje, Fieke, Sebastiaan,
Sofie, Sielke, Irina en Vincent
en alle andere kindjes
die te vroeg van ons zijn heengegaan.

Een medisch deskundige aan het woord

Plotse onverwachte dood komt op alle leeftijden voor. Er is echter geen periode in het leven waarin het overlijden zo abrupt en terzelfdertijd zo onverklaarbaar kan zijn als in het eerste levensjaar. Immers, terwijl voor de andere leeftijdsgroepen de doodsoorzaak meestal achterhaald wordt door middel van een grondig onderzoek na overlijden (autopsie), laat dit onderzoek ons vaak in de steek wanneer het een zuigeling betreft. Dit plotse en onverwachte overlijden van een kind van minder dan een jaar oud, waarbij ook na grondige autopsie geen afdoende verklaring voor de dood wordt gevonden, noemen we wiegedood. Deze term is terug te vinden in vele talen en wijst op de vermoede associatie met de slaap. Tevens weerspiegelt de term enigszins de rust waarmee de meeste kinderen lijken "ingeslapen" te zijn. De term wiegedood, evenals de meer globale Engelse term "sudden infant death syndrome" (SIDS), verbergt echter de onwetendheid van medici en wetenschapslui omtrent de oorzaak van dit mysterieuze gebeuren. Immers, ondanks grootschalig onderzoek, blijft men in het duister tasten omtrent de oorzaak of oorzaken van wiegedood. Wel wordt het stilaan duidelijk dat wiegedood in de meeste gevallen het gevolg is van een samenloop van omstandigheden bij een zuigeling waarvan de controle over hart- en ademhalingsritme en de stabilisatie van de ademhalingswegen nog in een uitrijpingsfase verkeren. Onderzoek naar immature controle gebeurt door middel van een zogenaamde polysomnografie. Gezien dit onderzoek geen uitsluitsel geeft over wiegedood en er anderzijds een zeer groot aantal ouders onnodig ongerust gemaakt worden, kan dit onderzoek bezwaarlijk voorgesteld worden voor alle zuigelingen. Preventie kan dus beter gebeuren door de externe factoren die een rol spelen, beter te leren kennen en eventueel te vermijden.

De in dit boek opgenomen getuigenissen van moeders die hun kind hebben verloren, treffen diep. Zij verwoorden met de zo menselijke variaties en nuanceringen, het onherstelbare en steeds opnieuw knagende verlies, de diverse pogingen die zij ondernomen hebben om het gebeuren een plaats te geven in hun leven en in het leven van het gezin, en de ommekeer hierdoor teweeggebracht in hun kijk op mensen en gebeurtenissen.

11

Deze getuigenissen brengen ons tot de kern van het probleem wiegedood: op een ogenblik dat het kind toenemend gestalte heeft verworven in het gezin, geheel en al sociaal wezen is geworden, wordt het bruusk onttrokken aan het leven, gehuld in een mantel van mysterie. Dit mysterie, dat zo contrasteert met de ontluikende openheid van het kind, interpelleert over het kind zelf, de verantwoordelijkheid van de ouders en uiteindelijk de zin van het leven. Meer dan een boek over dood, is dit boek een uitnodiging, een kreet, om het ontluikende leven ten volle te beleven en er wezenlijk van te genieten. Ook de vele ouders die niet met deze problemen werden geconfronteerd, zullen er diepgang en inspiratie in vinden.

Prof. Dr. Hugo Devlieger
Kinderarts
Universitaire Ziekenhuizen K.U.Leuven

Een sociaal deskundige aan het woord

Wat valt er te zeggen over de dood? Na duizenden jaren zoeken mensen nog steeds naar troost en steun. Er zijn al zoveel boeken geschreven vanuit allerlei perspectieven. Maar er bestaat geen recept voor het genezen van verdriet en evenmin bestaat er een oplossing voor de emotionele, lichamelijke en geestelijke pijn die ouders ervaren na de dood van een kind.

Verdriet verschilt van persoon tot persoon. Daarom is dit boek ook bijzonder. Het is geschreven door ouders die iets willen delen vanuit hun ervaring na de wiegedood van een van hun kinderen. In deze zin is het een zeer persoonlijk boek, een boek waarin mensen vanuit hun hart en gemoed rechtstreeks spreken tot het hart van anderen. Het boek is gevoelig, raakt de diepste dingen aan. Het laat zien hoe de dood van een kind voor de ouders en de familie een emotionele aardbeving kan worden, maar ook hoe mensen terug opstaan van onder het puin en doorheen dit boek naar andere mensen toegaan.

Het boek laat zien dat het persoonlijk rouwproces een lange zoektocht is, aan het einde waarvan ouders weer greep krijgen op hun eigen leven. Het laat begrijpen hoe beide ouders in deze zoektocht naar leven en inzicht, soms zoek kunnen geraken voor elkaar, om aan het einde van een lange en uitputtende tocht, doorheen pijn en verdriet, elkaar geleidelijk terug te vinden en te herkennen.

Bij de lezing krijgt men het gevoel dat de ouders zichzelf helpen door het vertellen van hun verhaal. Ze geven inhoud, vorm en samenhang aan hun ervaringen van verdriet. Ze zoeken naar vormen om verder te leven, in een bestaan waarin hun kind nu aanwezig is als een herinnering, een herinnering die hen als een schaduw vergezelt doorheen hun leven.

Het sterven van een kind is als het ware het verliezen van een deel van zichzelf, en van toekomst. Kinderen en dood zijn begrippen die in de beleving van de doorsnee-mens ver uit elkaar liggen. Ze waren dit ook voor de ouders in dit boek, tot ze plots samenvielen, als het ware als begrippen over elkaar schoven in dat moment van wiegedood. De samenleving staat nauwelijks stil bij wat dit betekent. Gebrek aan begrip en steun maakt dat men in het verdriet alleen komt te staan.

De aandachtige lezer zal zich wellicht af en toe gegrepen voelen door het verdriet en de pijn. Wellicht zal het mensen helpen om de taal van het verdriet beter te verstaan. Het boek blijft niet bij verdriet. Het neemt mensen mee op de moeilijke weg er doorheen en leidt hen terug naar leven.

Hopelijk leert het mensen stil te staan bij het verdriet van de andere, leert het vertrouwensvol en respectvol luisteren naar hoe elke mens op zijn manier verdriet doormaakt. Ik hoop dat het ook aandacht oproept voor het verdriet dat vaak verborgen blijft en weinig erkenning krijgt: het rouwverdriet van de kinderoppas die het kindje dood aantrof in haar huis; de pijn van de grootouders die vaak worden vergeten en zich zo machteloos voelen om hun kinderen te troosten, terwijl ze zelf treuren om het sterven van hun kleinkind; de eenzaamheid waarin de andere kinderen in het gezin soms terechtkomen als vader en moeder verteerd worden door verdriet.

Het boek neemt de lezer bij de hand en laat hem meewandelen over het pad van verdriet dat geleidelijk leidt naar nieuwe toekomst. Een toekomst waarin het leven nooit meer zal zijn als voorheen.
Ik hoop dat dit boek zijn weg mag vinden naar mensen en troost mag betekenen voor ouders die een dergelijke ervaring door moeten, maar ook dat het anderen mag helpen om zorg te dragen, zodat er geleidelijk een nieuwe solidariteit groeit tussen mensen.

Prof. Dr. Emmanuel Keirse
Hoofddocent aan de Faculteit der Geneeskunde
Diensthoofd Patiëntenbegeleiding
Universitaire Ziekenhuizen K.U.Leuven

Karen

2 - 2 - 1988
12 - 4 - 1988

Karentje,
ik weet niet waar je bent.
Je bent zo ver weg,
en toch ook zo dichtbij.
Je leeft verder in mij,
in alles wat ik doe, denk of zeg.
Ik heb jou 9 maanden gedragen,
nu draag jij mij.
Ik ben gelukkig samen met Ellen, Steven, Mattias,
papa en vele andere lieve mensen.
Hopelijk kan ik samen met hen
nog een lange weg afleggen.
Maar, weet je,
ooit hoop ik ook weer bij jou te zijn.

In blijde verwachting

Na twee jaar getrouwd te zijn, verwachten we samen ons eerste kindje. Een jaar hebben we op dit moment gewacht. Een lange tijd als je ervoor staat, achteraf bekeken is dit vlot en probleemloos verlopen.

1988, we verwachten ons tweede kindje. Of, beter: ik verwacht mijn tweede kindje. Beiden zijn we druk in de weer. Mijn man, Patrick, heeft zojuist een nieuwe baan die veel energie van hem vergt. Ook onze bouwwerkzaamheden vragen elke dag een kijkje en de nodige telefoontjes. Naast deze kijkjes, dienen de nodige werken uitgevoerd te worden. Werken die vooral door Patrick worden gedaan. Ik blijf meestal thuis, samen met Steven - een bengeltje van bijna 2 - die zijn rust op tijd en stond nodig heeft.

Zelf heb ik ook een verantwoordelijke, zenuwslopende, buitenhuizige beroepsbezigheid in de informaticasector. Hiernaast geef ik mijn tijd in de eerste plaats aan Steven, die ook 's nachts de nodige energie vraagt.
's Morgens vroeg, vanaf halfzes, staat ons vinnig zoontje paraat. De opvoeding van Steven is vooral mijn werk, mijn man heeft andere bezigheden.

Ook het kleine kindje dat zich in mijn buik ontwikkelt, is blijkbaar van mij alleen. De romantische verwachting van Steven steekt hier schril tegenover af. Samen naar de gynaecoloog gaan, is er niet meer bij.
Zijn handen worden zelden op mijn buik gelegd. Ik ben vaak moe en ga vroeg slapen. Dikwijls kan ik zelfs niet verdragen dat hij mij aanraakt.
Niettegenstaande deze perikelen, ben ik blij dat ik in verwachting ben en geniet ik van de kleine stampjes in mijn buik. Ja, ik hou reeds ontzettend veel van dit kindje, mijn kindje.

De bouwwerkzaamheden gaan verder, niet zonder de nodige ups en downs. Rond de zevende maand zwangerschap, eind november, trekken we in ons nieuwe huis. Het is een mooi huis, dat wel, met alles erop en eraan. Onze verhouding gaat nu iets beter. Patrick heeft het minder druk.
Ons kindje wordt verwacht tegen 28 februari. Op 1 februari neem ik een verdiende en nodige bevallingsrust. Mijn man heeft cursus, niet bij de deur.

19

Dagelijks reist hij op en af, want de laatste maand zwangerschap is aangebroken. Wij bezoeken samen nog de gynaecoloog. Ik moet mij niet te zenuwachtig maken: de bevalling zal niet vroeger gebeuren dan voorzien. Doch, die nacht beginnen de weeën. Ons tweede kindje kondigt zich aan.

Een zusje voor Steven

Tijdens deze weer drukke periode voor mijn man, drie weken vroeger dan voorzien, wordt ons tweede kindje geboren. Het is een meisje: Karen. Karen is wondermooi en gezond. Een koningswens, zeggen velen. Ons geluk kan blijkbaar niet op: een mooie woning, elk een goede baan en nu een gezonde zoon en dochter: een situatie die velen moeten ontberen.

Gedurende mijn verblijf in de materniteit, vangen mijn ouders Steven op. Ook alle kleine dingen die ik nodig heb in het ziekenhuis, vraag ik aan hen, want Patrick heeft hier geen oor en hoofd naar.
8 februari, we mogen naar huis. Mijn ouders komen ons halen, samen met Steven. Patrick zit zijn laatste dag op cursus in Nederland. Steven is heel blij met zijn zus maar in plaats van twee ogen heb ik er wel vier nodig.

Karentje slaapt beneden in haar wiegje. Dat vinden we best. Ik geef borst-voeding en 's nachts wil ik zo min mogelijk mijn man wakker houden. Om de twee uur wil ons dochtertje wat aandacht en heeft ze dorst. Nachtenlang volg ik haar ritme, want kindjes laten wenen, vind ik maar niks.
Bij haar eerste ochtendvoeding, rond vijf uur, is Steven ook op de been. Hij hoort mij naar beneden gaan en als de bliksem is hij er ook bij.

Wanneer ze ongeveer acht weken oud is, weegt ons Karentje vijf kilo, een gewicht waarop kleine baby'tjes zogezegd moeten doorslapen. Op aanraden van velen, laat ik haar 's nachts eventjes huilen, vijf minuten maar. Ik ga dan telkens wel even kijken - als ik uit mijn bed geraak - en dek haar zachtjes terug onder. Blijkbaar heeft deze werkwijze wel een gunstig resultaat. Karen slaapt van ongeveer tien uur 's avonds tot vijf uur 's ochtends. Ondertussen ben ik nog steeds heel moe, waarschijnlijk een nasleep van de vele onderbroken nachten. Volgens mijn man heb ik enkel te weinig ontspanning, te weinig tijd voor mezelf. Voor een deel heeft hij gelijk maar ik voel me toch weinig begrepen.

Ik voel me eigenlijk ongelukkig. Op een ochtend, tijdens het ochtendbadje van Karen, vallen mijn tranen op haar buikje. Tegelijkertijd besef ik dat ik alles heb om gelukkig te zijn... of toch niet?

Het wordt Pasen. Patrick is druk in de weer met zijn zangkoor. Het ene optreden volgt op het andere. Voor ons heeft hij geen tijd. Ik voel mij verlaten en terwijl de mensen een zalig Pasen toewensen, heb ik de grootste moeite om mijn tranen te bedwingen.

's Avonds val ik moeilijk in slaap. Ik denk vaak aan de film "Sophie's Choice"- over een vrouw die tijdens de oorlogsjaren gedwongen wordt te kiezen tussen haar beide kinderen. Vreselijk is dit. Ik zou ook niet weten wie te kiezen en al fantaserend val ik al wenend in slaap.

Eindelijk denk ik een goede ontspanning te hebben gevonden: ik besluit om yoga te gaan volgen ergens in de buurt. Ik breng alles in gereedheid om op tijd klaar te zijn: eerst vlug met Karen, voor de eerste maal zelf, naar Kind en Gezin. De wachtzaal is stampvol en ik vraag de verpleegster of ze niet nog eenmaal naar huis wil komen. Karen blijkt toch gezond, voor mij is er niets speciaals aan de hand. De verpleegster stemt toe en wij gaan naar huis. Thuisgekomen geef ik Karen nog vlug een borstvoeding zodat ze toch een uurtje mijn afwezigheid kan verdragen. Papa krijgt even de zorg voor onze beide kindjes op zich. Als ze bijna in slaap is, ga ik weg, mijn eerste "avondje" terug uit.

Na een dik uur ben ik weer thuis. Wat een geween hoor ik daar op de achtergrond. Karen blijkt de hele tijd gebruld te hebben. Hoe kan het ook anders: volgens papa heb ik haar toch al rotbedorven!

Ik geef haar een badje, dat is blijkbaar goed om baby'tjes te kalmeren en rustig te laten slapen. Karen is helemaal niet op haar gemak. Ze krijgt blauwe handjes en voetjes. Na haar badje is het terug etenstijd. Ditmaal een flesje. Sinds twee dagen proberen we over te schakelen. Karen is bijna 10 weken en binnen een veertiental dagen moet ik terug aan het werk. Weer is het een gebrul van jewelste en mijn man neemt het flesje over, want toegeven mag ik van hem niet. Ik heb hartpijn en tegelijkertijd vind ik het ergens fijn dat ze van mij toch meer geniet dan van dat flesje. Na vijf minuten hou ik het toch niet meer vol en geef ik haar toch de borst.

Karen drinkt haar buikje vol en valt zalig en rustig aan mijn borst in slaap. Heerlijke momenten voor ons twee.

De ommekeer

Karen slaapt die nacht tot bijna vijf uur. Ze krijgt haar borstvoeding. Ik ververs haar en zeg: "Mama is moe en gaat terug slapen, dan kan ik straks goed voor je zorgen".

Eventjes hoor ik nog een geween. Steven is ondertussen ook op de been en kruipt bij ons in bed. Van slapen komt er dus niet veel meer in huis. Ik rust toch nog even verder, tot halfacht. Tijd om op te staan. Steven vraagt zijn ontbijt en mijn man moet naar zijn werk.

Eerst ga ik even naar Karen kijken. Bij het openen van de deur besluipt mij een vreemd gevoel. Hier blijkt iets niet pluis te zijn. Ik kijk in het wiegje en Karen ligt nog stil op haar buikje. Toch merk ik iets vreemds: ze is zo wit. Ik voel aan haar en ze blijkt ijskoud. Met een ruk pak ik haar op en zie een blauw gezichtje. Ze is dood. IJskoud en dood.

Ik begin te roepen, te gillen, ik weet niet meer wat. Mijn man is direkt ter plaatse en probeert even te beademen. Hij bemerkt snel dat het zinloos is. Dinsdag 12 april - voor ons staat alles stil. Het is precies een nachtmerrie - is dit nu echt of toch niet?

Ik besef dat ook mijn man evenveel van ons dochtertje gehouden heeft als ik. Plots is het ons kind, in plaats van alleen maar mijn kind. Maar wat moeten we nu? Met ons dode kind?

Steven komt ook aangelopen en merkt dat er iets aan de hand is. We zeggen dat zijn zusje dood is, maar tot hem dringt het nog niet door. Hij vraagt een boterham. We beseffen dadelijk dat het leven verder gaat.

Ik geef Steven een boterham en ondertussen loop ik met Karen in mijn armen door het huis. Ze ligt daar met haar hoofdje op mijn schouder, levenloos stil.

De dokter komt voor de eerste maal bij ons - een onwennige situatie, zowel voor ons als voor hem. Veel zegt hij niet, en na vijf minuten is hij weer de deur uit.

Wat nu gedaan? Karen is nog niet gedoopt. Vorige zondag nog vertelde een naaste dat een niet gedoopt kind niet door de kerk kan begraven worden. We besluiten om Pater Leo op te bellen, de aalmoezenier van onze gezinsgroep, die Karen zou dopen op 10 mei. Pater Leo staat even later voor onze deur - een hele opluchting.

Ouders en schoonouders worden ook opgebeld met het droevige nieuws. Ook zij staan een uurtje later bij ons aan de deur. Het is een drukte van jewelste. En ik, ik wil alleen zijn, alleen met Karen. Ondertussen zwellen mijn borsten. Karentje is er niet meer en ik ben eindeloos leeg. Eén druppeltje melk komt er nog uit. Misschien het laatste voor haar, waar ze eeuwig mee toe komt.

Voor de voordeur ligt een dode zwarte vogel. Het muziekje van een beertje, dat Karen niet graag hoorde, is stuk. Allemaal toeval?

De begrafenisondernemer hebben we in het telefoonboek opgezocht. Deze staat rond de middag aan de deur... met eerste-communieprentjes. Ik zou hem meteen de deur willen uitsmijten.

De verpleegster van Kind en Gezin heeft ook het droeve nieuws vernomen en komt even langs. Een lief gebaar. Ze geeft ons wat uitleg omtrent wiegedood. Niemand treft schuld, zegt ze. Maar een schuldgevoel heb ik alleszins. Was ik niet meer in bed gekropen, maar met Steven opgebleven... Was ik nog maar eens gaan kijken... Had ik dit, had ik dat, ik weet het niet. Even wordt over autopsie gepraat. We bellen naar Gasthuisberg, maar het is middagpauze en niemand neemt op. Dan laten we het voorlopig maar zo.

23

Misschien straks nog eens proberen.

Ondertussen gaat er veel door mijn hoofd. Mijn kind laten opensnijden vind ik helemaal niks. Ze voelt er niets meer van, maar toch ...

Ook de naaste familieleden adviseren om het kind te laten rusten. We laten ons leiden - dus geen autopsie.

Mijn schoonzus vraagt om Karentje een laatste badje te geven. Samen wassen we haar. Het is de laatste maal dat ik dit kan doen.

Nu heeft ze niet enkel blauwe handjes en blauwe voetjes, maar heel haar lichaampje staat vol blauwe plekjes.

Geen geschrei deze keer, maar wat mis ik dat!

Gedragen worden,
om zelf te kunnen dragen.
Gehoord worden
om zelf te kunnen luisteren.
Begrepen worden
om zelf te kunnen begrijpen.
Liefde krijgen,
om zelf te kunnen geven.
Zo worden we samen gelukkig.
2-2-1988

Zo vol geluk ons hart was toen we je mochten ontvangen,
Zo leeg is ons hart nu, mijn liefje.
Dank voor je bestaan.
12-4-1988

Leeg zijn we inderdaad. Tijd zal hieraan veel verhelpen, zeggen velen.
Ik zou het liefst van al Karentje thuis laten. Maar weer laat ik me leiden en
's avonds wordt ze afgehaald door de begrafenisondernemer.
Ik leg haar in het kistje. Een mooi wit kistje, dat wel, met een mooie witte
doek erin. Hierdoor voelt ze geen warmte in de zomer en geen koude in de
winter, denk ik.
De begrafenisondernemer rijdt met haar naar het mortuarium, een dertigtal
kilometer van ons huis - voor mij mijlenver weg. Nooit komt Karen nog bij
ons in huis.

Steven gaat voor een nachtje mee naar oma en opa, want misschien geven
wij hem nu de aandacht niet die hij nodig heeft. Voor zijn vertrek lieten we
hem afscheid nemen van zijn zusje met een zoentje.
Als iedereen het huis uit is, lijkt alles nog veel leger. We praten, urenlang.
We wenen samen. Uiteindelijk gaan we toch naar bed.
Mogen we nu vrijen met elkaar of toch beter niet? Mogen wij nu genieten,
nu ons kindje dood is? We hakken de knoop door en genieten van elkaar.
We zijn samen één, mijn man, ik en ook Karentje. Ik vrij voor haar, want
zij zal het nooit kunnen doen.
Na nog wat gepraat, val ik stil wenend in slaap.

Midden in de nacht word ik wakker. Volgende woorden sluipen door mijn
hoofd:
"... door mijn schuld, door mijn grote schuld, ...". Verder geraak ik niet.
Mijn man merkt mijn geween en probeert te troosten.
De uren sluipen voorbij. Eindelijk is het tijd om op te staan. Maar waarom
zouden we opstaan? Ik heb in niets zin. Een grote levensvraag achtervolgt
mij. Waarom leven wij?
Eerst even Steven opbellen. We gaan hem zo vlug mogelijk halen. Dan is

er toch nog wat leven in huis.

Steven is een grote houvast, mijn enige zingeving om verder te leven. Hij is zeer spontaan en stelt vragen over Karentje. Voor zijn slapengaan, kijken we steeds even naar de sterren en wensen we Karen goeienacht.

De tijd tot aan de begrafenis lijkt eindeloos. Besef van tijd hebben we inderdaad niet meer.

Het doen van de alledaagse dingen vraagt veel energie. We gaan samen naar het warenhuis. Voor iedereen gaat het leven gewoon verder. Voor ons lijkt alles veranderd. Maar uiterlijk lijken we dezelfde, niemand merkt blijkbaar iets aan ons. Aan de kassa zien we een kennis die het nieuws al vernomen heeft. Hij zegt niets, maar knikt vriendelijk met tranen in zijn ogen. We begrijpen elkaar en ik ben dankbaar voor zijn gebaar.

Enkele keren gaan we naar het mortuarium. De drang naar het zien van ons kindje is zeer groot. Steven wordt ondertussen opgevangen door goede vrienden.

Bij het zien van Karen overspoelt ons een grote rust.

Wat is ze koud. We proberen haar te warmen.

Ik zou ze nog in mijn armen willen nemen, maar wil haar toch niet schenden.

Ik neem haar dan maar in het kistje op mijn schoot.

We besluiten om zelf haar kistje te dragen tijdens haar afscheidsviering.

Zaterdag, 16 april. Karentje wordt vandaag begraven.

Ik heb zelfs niet de moed om Steven aan te kleden en laat dit aan mijn schoonzus over.

De begrafeniswagen stopt bij ons huis. De kerk is maar honderd meter verder en we gaan te voet. Wij slenteren achter de begrafeniswagen aan.

Mijn man en ik dragen het witte kistje naar binnen en plaatsen het voor het altaar.

De viering is mooi. Pater Leo draagt de mis op. Een vader leest voor. Vrienden hebben samen het tekstje van de viering opgesteld, een echte steun. Het koor waar Patrick bij aangesloten is, zingt vele mooie liederen. Mijn man brengt een wiegeliedje op het orgel, speciaal voor ons dochtertje, het laatste wat hij voor haar kan doen.

Na de communie wordt Steven door vrienden opgevangen. Mee naar het kerkhof gaan, vind ik voor hem maar niks. Hij moet Karentje niet in de grond zien stoppen.

Na de viering brengen mijn man en ik Karen naar haar grafje. Het is een akelig gezicht, dat gegraven gat daar in de grond. Akelig koud is het. Even kniel ik nog bij het kistje neer. Het is de laatste keer dat ik dit zal zien. Karen zie ik nooit meer. Of misschien toch nog ooit?

Vele mensen brengen een laatste groet en geven ons een hand of een zoen. De rij lijkt eindeloos. Eigenlijk wil ik enkel maar alleen zijn. Alleen, vooral met mezelf.

Aan de koffietafel wordt wat gelachen. Het leven gaat inderdaad verder, maar heel anders dan voorheen.

's Avonds gaan Patrick en ik nog even langs het grafje. Bloemen liggen er overal. Een nieuwe tijd kondigt zich aan. Een tijd zonder Karen.

De eerste dagen, weken na de begrafenis, vertoef ik veel op het kerkhof, naast het grafje. Het is precies of ik daar thuis hoor. Vele momenten wil ik immers maar één ding: gewoon bij haar zijn, ook dood zijn. Op deze momenten denk ik aan Steven, mijn enige zin om door te gaan.

Ik heb ook een grote drang om haar op te graven, haar nog even te zien en te knuffelen. Moest de maatschappij mij niet tegenhouden, ik zou het doen.

Nachtenlang ga ik drie- tot viermaal kijken of Steven nog ademt. Ik heb doodse angst. Na verloop van tijd is dit niet meer vol te houden en grijp ik mij 's nachts aan het bed vast als ik er weer uit wil springen.

De eerste keren dat we op bezoek gaan bij de grootouders is het zeer hard. De auto is zo leeg zonder dat koetsje achteraan. Tijdens de rit kan ik mijn tranen nauwelijks bedwingen.

De verpleegster van Kind en Gezin geeft ons het adres van de vereniging SIDS. Deze verschaft ons vele artikels omtrent wiegedood. Onze leeslust over het onderwerp geraakt aanvankelijk niet uitgeput. Maar toch, al gauw bemerk ik dat ik hier geen boodschap aan heb. Diverse artikels spreken elkaar tegen. Een sluitende verklaring wordt nergens gevonden. Met

27

medische termen wordt alom gezwierd.

Daarna lezen we veel over reïncarnatie. Ik kan immers niet aanvaarden dat er niets meer van Karen zou overblijven.

We blijven zoeken naar redenen voor het overlijden van ons kindje. Misschien wonen we wel in een zeer ongezonde woning. We laten een pendelaar komen. Ons huis blijkt vol aardstralen te zitten, ook daar waar Karens wiegje stond.

Ik vervloek ons huis en denk zelfs aan verhuizen.We laten een 'bakje' plaatsen dat de aardstralen kan tegenwerken, een bakje dat niet meer uit het huis verdwijnt.

Een week na de begrafenis ga ik terug aan het werk. Mijn zwanger-schapsverlof is immers ten einde. Het is vreselijk, die eerste dag. Vele mensen lopen weg, niet wetend wat ze moeten zeggen.

Ik plaats dadelijk een fotootje van mijn twee kindjes op mijn bureau. Af en toe komt er iemand langs met een vriendelijk woord. Ik kan mijn tranen nauwelijks bedwingen.

Ook een klant loop ik tegen het lijf. Die weet nog niet van de dood van Karentje en vraagt of ze al kan lopen. Eigenlijk ben ik nog blij met zulke opmerkingen. Ze houden Karen nog een beetje in leven.

Ik krijg meteen een nieuwe opdracht. Een groot project wordt opgestart onder mijn leiding. Ik breng wel begrip op voor dit gebaar: ze willen mij terug vertrouwen doen krijgen. Maar ik, ik krijg kop nog staart aan dit hele gedoe. Voor mij is dit alles zinloos.

Ik moet veel lezen om mij terug in te werken. Maar al wat ik lees, dringt niet tot mij door. Concentreren kan ik mij niet.

Voor mijn werk moet ik spoedig dagelijks naar Brussel. Ik rij alleen met de wagen. De weg heen denk ik alleen maar aan Karen. Ik zing liedjes voor haar en ik ween.

In juni gaan we op vakantie naar zee. Ze was gepland samen met Karen en we twijfelen om te gaan. We pakken toch maar in en vertrekken.

De vakantie doet wel deugd. We hebben tijd nodig, veel tijd, voor onszelf, voor ons beiden en voor Steven.

Terug in 'blijde' verwachting

We verlangen samen naar een volgende baby - ons derde kind. Volgens mij neemt het verdriet niet af als we een volgende verwachting langer zouden uitstellen. We besluiten om het terug te wagen.
Ik ben dadelijk zwanger. We zijn gelukkig, maar tegelijk doodongerust. Voor velen moet ik nu toch stoppen met wenen. Karentje was immers nog maar tien weken en ik ben terug zwanger: een reden om opnieuw gelukkig te zijn en enkel maar te lachen.
Ik ben inderdaad blij om dit nieuwe leven. Maar de leegte om Karen vermindert niet.
Velen vragen het hoeveelste kindje dit nu is. Ik weet niet altijd goed wat ik moet zeggen. Soms zeg ik het tweede, met pijn in mijn hart. Soms zeg ik het derde en dan vragen velen of ik dit wel aankan met mijn buitenhuizige bezigheid. Als ik dan zeg dat ons tweede kindje overleden is, staan velen met hun mond vol tanden.

Het is een zware tijd: rouwen en terug zwanger zijn. Ik heb er alleszins geen spijt van om vlug terug een nieuwe toekomst tegemoet te zien. De zin van het leven zoek ik immers enkel in Steven en in dat kleine stampertje in mijn buik. Ik zal wel blij zijn als ik eenmaal zie dat dit nieuwe kindje terug gezond is. Ik beeld mij immers van alles in en ik lees vele artikels over misgelopen zwangerschappen en geboorten.
Fysisch verloopt de zwangerschap probleemloos. Maar ik ben wel doodongerust. Dood dan in de letterlijke betekenis van het woord. Aanvankelijk durf ik mij niet aan het nieuwe kindje te hechten. Als je niet houdt van een persoon die je verliest, heb je immers ook geen verdriet.

Op 36 weken zwangerschap, ga ik op bevallingsrust. Ik heb immers nog veel tijd nodig, tijd om mij psychisch voor te bereiden. Mijn drukke beroepsbezigheden beletten mij immers om dit te doen.
Ik leg de kleertjes klaar voor ons volgende kindje. Kleertjes die ook Karen nog gedragen heeft. Tranen vloeien over mijn wangen. Tranen die ik nog veel nodig heb. Niettegenstaande Karentje bijna een jaar van ons weg is, heb ik nog veel te verwerken.

Twee kleertjes verstop ik en zal ik nooit meer gebruiken: het kruippakje waar Karen in overleden is en het jurkje dat ze het laatst gedragen heeft. Deze liggen nog steeds in het nachtkastje naast mijn bed. Of het een meisje of een jongen wordt, weten we nog niet. Voor ons is dit momenteel ook van weinig belang. Het enige wat primeert, is de gezondheid en het mogen blijven bij ons.

De geboorte is gepland voor de tiende april, twee dagen voor het overlijden van Karen. Ikzelf wil zeker niet dat deze twee momenten samenvallen. Psychisch zet ik de bevalling dan ook enkele weken voor de geplande datum in. Ik heb vele voorweeën, iets wat ik bij beide andere zwangerschappen nooit gehad heb.

Op een nacht komen de weeën om de tien minuten. Omstreeks halfzeven 's morgens, gaan we naar het ziekenhuis. Steven wordt opgevangen bij goede buren.

Ik ween op weg naar het ziekenhuis. Ik denk veel aan Karen. Moest zij er nog geweest zijn, zou dit kindje nu niet geboren worden. Waarschijnlijk zouden er zelfs geen volgende kindjes geweest zijn.

We praten nog even over de namen. Voor een meisje wil ik een naam die enigszins op Karen gelijkt. Ellen zou het dan worden. Een jongen zou Jeroen of Thomas heten.

Terug een zusje voor Steven

In het ziekenhuis gekomen, zijn de weeën gestopt. Het is 30 maart, normaal nog twee weken te vroeg. De gynaecoloog komt rond acht uur 's ochtends even langs. Ik sta erop om te blijven en hij stemt toe. Mijn vliezen worden doorgeprikt. Na een uurtje komen de weeën er weer aan.

Om half twaalf word ik het 'bevallingskwartier' binnengereden. Na tweemaal persen kondigt ons volgend kindje zich aan: alles is erop en eraan! Een waar wonder! Het is een meisje! Ellen! Even denk ik dat Karen terug is. Net

twee druppels water!
Even later is er dadelijk het besef dat het om twee andere wezentjes gaat.
Inderdaad, de leegte die Karen achterliet, wordt niet opgevuld, nooit meer.

Van een erkend ziekenhuis krijgen wij dadelijk een monitor in bruikleen.
We hadden die ruim op voorhand aangevraagd. Wij zijn vrij snel gewend
aan dit apparaatje. Voor ons betekent het horen van het getik een echte
verademing.
We zijn beiden erg gelukkig met Ellen. Ook Steven is erg lief. De eerste
maal dat hij Ellen hoort wenen, zegt hij: "Hoor, Karentje weent". Ik ben blij
dat hij nog aan zijn eerste zusje denkt.

Als ze zes weken oud is, gaat Ellen op een eerste slaaponderzoek. Een
zenuwslopende aangelegenheid. Alles blijkt in orde te zijn. Dit betekent een
echte opluchting.
Niettegenstaande dit positieve nieuws, blijven we waakzaam en proberen
we het ritme van dit kleine kindje te volgen. Veel echte ontspanning is er
in eerste instantie niet bij. Ritjes naar familieleden of vrienden, vergeten we
de eerste maanden ook maar.

Met Ellen gaat alles prima. Ikzelf ben nog aan een echte verwerking toe.
Elke dag tel ik af tot Ellen de leeftijd van 10 weken bereikt, de ouderdom
waarop Karen overleden is.
Dikwijls ben ik doodongerust. Niet zozeer voor Ellen, wel voor Steven. Ik
moet immers leren hem wat los te laten en dit loopt niet van een leien dakje.
Zijn kleuterklas gaat op schoolreis. Ik twijfel eraan om hem mee te laten
gaan, maar stem toch toe. Zo fier als een gieter stapt hij mee op de bus met
zijn picknickzakje. En ik, ik blijf doodongerust achter en denk aan allerlei
situaties waarbij ik ook hem kan verliezen. Ik ween bijna de hele dag door,
tot ik de bus terug hoor aankomen en hem welgezond van de schoolbus zie
stappen.
Een andere keer gaat hij mee zwemmen naar Hengelhoef met een vrien-
dinnetje. Hij: dolgelukkig. Ik: weer heel fantasierijk, ik zie zelfs de volgende begrafenis al voor mij.
Na verloop van tijd is deze situatie onhoudbaar en ik word zwaar depressief.

31

Het leven is voor mij synoniem voor lijden geworden, lijden om wie er niet meer is, lijden om wie ik allemaal kan verliezen. Het liefst van al ben ik dood, samen met allen die mij lief zijn, in eerste instantie Steven en Ellen. Patrick begrijpt mij niet en weer zoekt hij de oorzaak enkel in te weinig ontspanning. Ergens heeft hij gelijk, maar ik zoek ook begrip, veel begrip voor mijn verdriet, mijn ongerustheid.

Niemand blijkt iets van mijn depressie te merken. Ik moet er alleen door, alleen doorheen mijn verdriet. Tot op een dag de ogen van Patrick toch opengaan en ik voel dat hij tracht mij te begrijpen. Het is een echte opluchting en plots zie ik mijn toekomst weer. Ik zie een zin om verder te gaan, samen met Steven, Ellen en mijn man.

Ellen is 6 maanden en ik ga terug aan het werk. Ellen wordt opgevangen in een kinderkribbe, een kribbe met deskundig personeel dat ik ten zeerste vertrouw in de opvang van mijn kindjes.

Ik heb nu niet veel tijd meer om te piekeren en mij zorgen te maken. Ik ben alleszins blij dat ik toch een hele tijd samen met mijn dochtertje thuis geweest ben, een noodzakelijke tijd om nog veel te verwerken.

Via de vereniging SIDS leren we enkele ouders kennen, mensen die hetzelfde hebben meegemaakt als wij. Alhoewel dit in eerste instantie vreemden zijn, merk je dadelijk dat je iets gemeen hebt.

Van een toevallige samenkomst hebben we ook echte vrienden overgehouden, mensen bij wie je altijd terecht kunt, met al je vragen en met al je ongerustheid.

Mensen die weten dat ook na lange tijd, dat overleden kindje nog steeds een belangrijke plaats inneemt in je hart.

Rouwen: een levenslang proces

Ook een vierde kindje is geboren binnen ons gezin. Het is een jongen: Mattias. Weer een gezonde baby die bij ons mocht komen, en hopelijk blijven.
Een derde kindje voor de buitenwereld, voor ons onze vierde spruit. Ook op zijn geboortekaartje laten we dit uitschijnen. Het luidt als volgt:

Onze vierde spruit is op de wereld gekomen.
En wil ook zijn lief snuitje tonen.
Aan Steven en Ellen die hem lang en blij verwachtten.

Leef lang, gelukkig en slaap zacht.
Wij houden samen met Karen de wacht.

Nog steeds ben ik heel ongerust, soms nog doodongerust als er met één van de kinderen iets scheelt of als ik gewoon begin te fantaseren.
Ikzelf en ook mijn man, denken nog veel aan Karen. Dagelijks is ze in onze gedachten. Wij dragen ze mee, ergens diep en stil in ons hart. Diep omdat ze alle aspecten van ons leven doorzeeft. Stil omdat ze door vele mensen doodgezwegen wordt.
Vele momenten doorheen het jaar blijven moeilijk. Op de diverse feesten is er steeds iemand te weinig. Haar verjaardag, de dag van het overlijden, moederdag, vele momenten waarbij we extra haar afwezigheid voelen.
Steeds ben ik op zoek naar kindjes van haar leeftijd. Deze krijgen extra mijn aandacht en ik probeer mij voor te stellen hoe Karen er zou uitgezien hebben.

Mijn man heeft nog steeds vele bezigheden. Maar ik weet: als ik tijd nodig heb voor mij of de kinderen, dan staat hij steeds paraat. Een situatie waar ik mij, in tegenstelling tot vroeger, goed mee kan verzoenen.
Ook als ik 's nacht nog eens wakker lig, en stilletjes ween, droogt hij woordenloos mijn tranen: een mooi en troostend gebaar.

Ikzelf heb veel geleerd:
In eerste instantie heb ik leren relativeren.

Ik weet meer dan ooit dat ook arme mensen verdienen om gelukkig te zijn; dat elk kind dat sterft van honger, altijd iemands kind is, dat ook elk gehandicapt kind iemands kind is en recht heeft op leven.

Aanvankelijk deden vele mensen mij pijn met hun reacties. Nu weet ik dat deze mensen niet beter weten. Ikzelf wist vroeger ook niet beter. Ik kan enkel blij zijn dat ik nu wel weet in te spelen op vele pijnlijke momenten van andere mensen.

Ik heb leren vandaag te leven en niet morgen. Misschien heb ik wel geleerd wat echt geluk is.

De dood van Karen heeft mij inderdaad veel kennis bijgebracht. Maar toch, nog steeds wil ik haar terug, terug in mijn armen. Wie weet, misschien ooit nog eens. Maar eerst heb ik hier nog een belangrijke taak te volbrengen: mijn andere bengel(tje)s op hun eigen benen te leren staan.

Gertje

16 - 11 - 1991
17 - 2 - 1992

LEVEN is loslaten,
LOSLATEN geeft leegte,
LEEGTE geeft diepte,
DIEPTE doet leven.

Op 16 november werd Gertje geboren. Hij was ons eerste kindje. De zwangerschap was, buiten enkele galproblemen, vlekkeloos verlopen. Ook de bevalling verliep vlot. Gertje woog drie kilo en was kerngezond.

De eerste dagen thuis vergden een beetje aanpassing, maar alles viel in zijn plooi na enkele dagen. Gertje groeide goed, at flink, was een brave en kalme baby, die na een zestal weken 's nachts zo goed als doorsliep. Er was dus geen enkele reden om ons zorgen te maken.
Op de consultatie van Kind en Gezin stelde ik de vraag of we hem moesten laten testen op wiegedood. De dokter antwoordde dat de kans op wiegedood zeer klein was, gezien de zwangerschap en de bevalling zonder problemen verlopen waren. De baby groeide en ontwikkelde zich volkomen normaal. Aangezien wij beiden nogal rustige types zijn, waren wij hierdoor volledig gerustgesteld en hebben wij de test niet laten uitvoeren.

Op 17 februari 1992 zou ik dan terug beginnen werken en zou Gertje naar de kinderkribbe gaan. Mijn jaarlijks verlof zou ik pas in de zomermaanden nemen. Gertje zou dan al wat groter zijn en we zouden des te meer kunnen genieten van ons kindje, ons huis en onze tuin.

Een beetje onwennig, maar toch vol goede moed brachten wij hem die morgen weg... om hem nooit meer mee naar huis te mogen nemen.

Kort na de middag heb ik nog gebeld om te vragen hoe het ging, of hij braaf was, en zo meer. Alles bleek in orde. Gertje had goed gedronken, was braaf geweest en sliep. Kort nadien heeft men hem gevonden. Men heeft er nog een dokter bij geroepen, maar het was reeds te laat.

Toen ik Gertje rond half zes ging afhalen, vertelde men mij dat er iets ergs gebeurd was. Geen haar op mijn hoofd dacht aan "dood". Ik dacht aan een ongeval, een armpje of een beentje gebroken, maar dat ...

Hij was drie maanden en één dag oud.

Onze wereld stortte in. Al onze plannen , onze verwachtingen... weg.

Terug thuiskomen in een leeg huis. Alle speelgoed, flessen, pampers, badje, relaxstoeltje opbergen. Zijn kleertjes, slabbetjes, handdoeken, hemdjes wassen en terug in de kast leggen, bij al die andere kleertjes die we gekregen hadden en die ik zo graag wou gebruiken.

Hem geen badje meer kunnen geven. Hem niet meer kunnen verzorgen. Dat kleine lijfje niet meer voelen. Niet meer "Gertje en mama" bekijken in de spiegel.

Niet meer kunnen gaan wandelen met de kinderwagen.

Weten dat je hem nooit zal zien opgroeien...

Die eerste dagen, weken verliepen in een waas van tranen en van verdriet. 's Morgens wenend opstaan, een hele dag aan niets anders denken.
's Avonds gaan slapen, beginnen piekeren en denken, en wenend in slaap vallen, als dit al mogelijk was...
Gelukkig hebben we veel steun gehad van onze familie, van vrienden en collega's. We zijn allebei na ongeveer een week terug gaan werken, omdat thuis blijven zitten ons alleen nog dieper in de put bracht.

Er zijn zoveel dingen die door je heen gaan als er zo'n ingrijpende gebeurtenis plaatsvindt in je leven. We hadden allebei reeds onze vader verloren, maar dit is helemaal anders. Je vader is iemand die voor je zorgt, waar je kan op vertrouwen en die je steunt. Als je een kind verliest, verlies je iets waarvoor je verantwoordelijk bent, waarvoor je plannen hebt. Een kind heeft je nodig, want het is nog zo klein en voor alles van jou afhankelijk.

Drie weken voor hij gestorven is, was Gertje gedoopt. Tijdens die doop-viering stel je al je hoop in dit kindje, je dankt God voor dit geschenk. Als hij dan dit leven wegneemt, zie je het nut van het geloof niet meer in. Waarom, wat is de reden van zo'n geboorte, zo'n geschenk, als je het na drie maanden terug moet afgeven?
Ook nu nog kan ik dit niet aanvaarden.

Als je dan in de krant een artikel leest over de zoveelste kindermishande-ling, word je heel opstandig. Waarom mochten wij ons kindje niet houden, en zo'n mensen, die misschien zelfs niet eens een baby wensten, die er niet goed voor zorgen... hen overkomt niets.
Ik had al mijn gedachten en overdenkingen misschien moeten neer-schrijven op het moment dat ze in mij opkwamen, maar het is nu, na één jaar, nog zo moeilijk om iets op papier te zetten, dat het mij wellicht niet gelukt zou zijn.

Er is reeds één jaar voorbij. De tijd gaat zo vlug. Het lijkt pas gisteren. Hoewel het verdriet en de pijn niet meer zo snijdend zijn als tijdens de eerste maanden, blijven ze nog steeds aanwezig, in alles wat je doet, de ene dag al wat meer dan de andere.

Ieder van ons weet dat het leven verder gaat, dat we vooruit moeten, maar het is niet altijd gemakkelijk. We hebben dan ook de beslissing genomen om ons leven verder uit te bouwen, en voor de maand juli verwachten wij ons tweede kindje. Maar Gertje zal er altijd bijhoren.

Op 16 juli 1993 is Gerts broertje geboren: Sander. Op zijn geboortekaartje staat volgend tekstje:

> *Er is geen leven zonder verleden,*
> *en ook geen leven zonder toekomst.*
> *Twee lieve kinderoogjes kijken ons weer aan*
> *en doen ons leven verder gaan.*

Fieke

28 - 2 - 1988
3 - 12 - 1988

Sofieke,
Je leeft niet meer met ons
maar wel in ons,
in herinneringen, in foto's,
in symbolen, in woorden
en in ons hart.
Dag aan dag denk ik aan jou.
Een donkere wolk zal steeds boven ons gezin
blijven hangen.
Soms schuift ze een beetje opzij en laat een
lichtstraaltje door,
soms glipt ze weer terug.
We zullen ermee moeten leren leven.
Je was een stukje van ons
en je blijft een stukje van ons,
tot we er niet meer zijn.
Misschien zijn we dan wel weer samen.

Je mama

Sofieke was ons tweede kindje, geboren op 28 februari 1988. Jeroen was toen anderhalf jaar. Een meisje, een droom voor ons en voor de grootouders na al die neefjes. 1988 was een schrikkeljaar, ik was blij dat ze niet op 29 februari geboren werd, want dan zou ze maar om de 4 jaar verjaren, ze zou zelfs geen 1 jaar mogen worden.

Alles verliep vlot, ze was een gemakkelijke baby. Eind november zette zij reeds stapjes rond het salontafeltje, een beeld dat mij het meest bijblijft.

Vrijdag 2 december, we zouden eindelijk eens een weekendje zonder de kinderen, maar met mijn zus en vrienden doorbrengen in Erperheide. Ik bracht Jeroen naar mijn vriendin en Sofie naar een zus, haar meter. Ik zie haar nog altijd "dada" wuiven voor het venster toen ik vertrok.

Aangekomen op de bestemming, hebben we nog een gezellige avond gehad voor het slapengaan.

's Morgens werd er gebeld aan de deur. We moesten telefoneren naar mijn zus. Ik voelde meteen dat er iets ernstigs gebeurd was. Ik stelde mij voor dat Sofie ziek was of gevallen was, maar aan "dood" wou ik niet denken. Toch liep ik huilend met Koen, mijn man, naar de telefooncel. Na lang aandringen zei m'n zus dan dat Sofieke 's morgens dood in haar bedje lag. Ze was meegevoerd naar het ziekenhuis. Op zo'n moment voel je pas wat echte hartpijn is. Ik kon niet anders dan schreeuwen van de pijn.

In stilte reden we met mijn schoonbroer en zus naar het ziekenhuis. We staarden verdwaasd voor ons uit en huilden. Wat valt er op zo'n moment te zeggen. Ik kon het niet geloven, ik kon het me niet voorstellen.

Zelfs toen we bij haar waren, drong het nog niet door. Ze lag zo rustig op mijn arm alsof ze sliep.

Het verbaast mij nog steeds hoe nuchter ik op dat moment was. Ik wou Jeroentje bij mij hebben en kon zo het nummer van mijn vriendin zeggen, terwijl ik daar normaal niet zo sterk in ben. Ik vroeg iemand om foto's te nemen, haar laatste beeld voor ons, waarvoor ik die persoon nu nog steeds dankbaar ben. Ik vroeg om een onderzoek, omdat ik niet in wiegedood kon geloven. Toch niet bij een gezond en levendig kind van 9 maanden.

Ik wou Sofieke mee naar huis nemen om haar vast te houden wanneer ik het zelf wou, om haar nog te verzorgen en stilaan afscheid van haar te nemen, maar dit werd mij afgeraden. 's Middags gingen we naar huis.

Sofieke zou op spoedgevallen blijven en we zouden er nog heel de avond bij mogen. Toen we terugkwamen, was ze weggebracht naar het mortuarium. Dit was reeds gesloten, maar we "mochten" toch een kwartiertje bij haar. Sofieke was nu zichtbaar dood, ze was koud en stijf. Het begon meer tot me door te dringen.

We gingen, zoveel als ons toegelaten was, haar bezoeken. Toch heb ik nu nog steeds het gevoel dat ik niet genoeg afscheid van haar heb kunnen nemen.

's Avonds kwam de begrafenisondernemer. Hij gaf ons uitleg over de mogelijkheden van begraven en hield volledig rekening met onze wensen. We wilden de begrafenis intiem en eenvoudig houden, alles in het wit, de kleur van de onschuld.

Koen en ik maakten samen een gedichtje voor op haar gedenkkaartje.

Klein lief Sofieke,
Stilletjes ben je heengegaan,
ons kleine poppemieke.
Je was ons zonnetje in huis,
steeds vol leven en lawaai.
Jeroentjes vriendje, ons dochtertje,
lieverdje van iedereen.
We nemen afscheid omdat het moet,
met heel veel mooie herinneringen.
En blijven aan je denken
met pijn, maar dankbaar
voor de korte tijd samen.

Slaapwel Fieke

We verbleven bij mijn ouders, we konden niet meer terug naar ons huis met al die dingen die ons aan Sofieke herinnerden.

Op 6 december werd Sofie begraven.
De begrafenismis werd door de priester gedaan die Sofieke had gedoopt, de aalmoezenier van onze scouts. Hij heeft dit prachtig gedaan. Geen traditionele mis, maar een mis voor en over Sofie. Ondanks het weinige volk dat we verwittigden, zat de kerk vol. Het deed goed te weten dat er zoveel mensen met ons meeleefden .
We kregen veel bezoek en telefoontjes, te veel. Op den duur wou ik niemand meer zien, ik wou alleen zijn met Koen en Jeroen. Koen is de spulletjes van Sofie op haar kamer gaan zetten en we keerden terug naar een koud huis.

We zijn beiden na tien dagen terug beginnen werken, uitstel maakt het alleen maar moeilijker. Ik werk als thuisverpleegster en was bang om terug bij mijn patiënten te komen, maar zij lieten mij praten en zij luisterden ook, de omgekeerde wereld. Van sommige vernam ik nu pas dat zijzelf ooit een kind of een kleinkind verloren hadden. Dit schept een zekere band om te praten over verdriet. Andere mensen, vooral gelovigen, gaven soms zo'n domme reacties zoals "ze is nu een engeltje met vleugeltjes geworden" of "God zal u wel een nieuw kindje geven".
Het rare vond ik dat bepaalde goede vrienden toeklapten, niet wilden praten over de dood, we konden er niet terecht. Omgekeerd ook, mensen waar je het niet van verwachtte, konden zo goed luisteren.

Ik begon dadelijk veel te lezen over wiegedood, in de hoop een verklaring te vinden. Ik wou mensen ontmoeten die hetzelfde hadden meegemaakt. Via een bijeenkomst van de vereniging SIDS, leerden we koppels kennen waar we nog steeds mee samenkomen en waar er, spijtig genoeg, nog steeds bijkomen. Dit is voor ons een enorme steun geweest in het verwerken van ons verdriet, te weten dat er mensen zijn die hetzelfde meemaakten, die dezelfde onmacht voelden en te weten dat je uit de put kan geraken en terug gelukkig kan worden.
Op 13 december startte ik een soort dagboek aan en over Sofie, vooral omdat ik Sofie zo nog een tijdje bij mij had, maar ook om alle herinnerin-

gen te bewaren.
Hier volgen enkele stukken.

13 december 1988
Ik zit in gedachten altijd met jou te praten en denk dat het schrijven naar
jou mij misschien wat over mijn verdriet heen zal helpen. Het zal
allemaal verward overkomen, maar zo voel ik mij ook. Ik stel mezelf
zoveel vragen waarop ik geen antwoord weet.
De eerste dagen na jouw sterven, leefde ik helemaal in een andere
wereld. Ik kwam niet op jouw kamer in de hoop dat je daar nog sliep, ik
ontkende jouw dood. Maar vandaag, 10 dagen na jouw dood, was de
eerste dag dat ik terug ging werken. Ik kwam thuis en moest je niet gaan
afhalen van de kribbe, ik moest je niet in bed stoppen voor je
middagdutje, ik moest geen fruitpap maken. Het is zo stil in huis. Geen
geroep van Jeroen omdat je zijn autootje afneemt, geen gekraai of
geknuffel, wat mis ik dat allemaal.

14 december 1988
Jeroentje zit naar Tik-Tak te kijken. Hij heeft het ook moeilijk gehad.
Twee nachten niet willen slapen, wel tussen ons in. Hij begint meer naar
jou te vragen "Fieke slapen, Fieke weg, Fieke stout". Het is zo moeilijk
om uit te leggen.

Sofieke, deze middag toen ik bij jou was, zou ik zo graag bij jou gaan
liggen zijn, je warmte geven, samen met jou wenen.
Sofie, ben je nu ergens, ben je gelukkig of is er niets na de dood, dat kan
toch niet. Sofie, help me. Ik hoop dat ik ooit een antwoord vind voor het
waarom en wat na de dood.

Daarnet zat ik met Jeroen in bad. Ik heb hem de laatste tijd wat
verwaarloosd. Nu zaten we te plonsen, te kietelen en te lachen. Sofie, ik
voel me zo schuldig als ik lach, dan komt dat beeld voor me van je dood.
Maar ik moet toch ook een goede moeder voor Jeroen zijn, ik mag hem

toch ook niet verliezen.
In bad zag ik jou zitten, per ongeluk klapte je met je handjes op het
water, Jeroen begon terug te spatten en allebei zaten jullie te lachen. Op
zo'n moment glimlach ik met tranen in de ogen.

Alles wat ik zie, veel bewegingen die Jeroen doet, dingen die ik lees, het
beeld van jou komt altijd terug. Ik zie jou nooit huilen maar altijd
lachen.
Gewoon al het salontafeltje, dan zie ik jou er naar toe kruipen, je
optrekken en stapje voor stapje zetten om toch maar dat blokje vast te
krijgen... maar Jeroen was je voor, geeft niets een beetje verder ligt er
nog een.
Het potje van Jeroen waarmee je eens aan 't spelen was toen Jeroen er
net op geweest was, het potje moet nu niet meer dadelijk geledigd
worden.

In december zocht ik volop naar een oorzaak. Ik zocht de oorzaak in dingen
die ik gedaan had, dingen die ik gezegd had en zelfs dingen die ik gedacht
had. Nu lijken dit soms dwaze "mogelijke" oorzaken, toen was ik wanhopig
op zoek.

15 januari 1989
Waarom kom ik toch zo graag naar jou toe?
Ik hoop daar iets te vinden, een teken van jou dat je terug komt, of dat je
met ons meeleeft en gelukkig bent. Maar het is er zo koud, zo akelig,
alleen een hoopje aarde, een kruisje en bloemen, geen teken van jou. Als
ik dan een bloemetje plant, hoop ik dat jij je hand uitsteekt, dat ik je
terug kan trekken.

Ik begin mensen te ontwijken en ben het liefst alleen met Koen en
Jeroen. Mensen zeggen soms zo'n domme dingen. "Je ziet er beter uit",
ik voel mij helemaal niet beter, de shock is voorbij, maar ik leef van dag
tot dag, blij dat het avond is.

In deze periode leefde ik met opgekropte woede. Woedend op dokters, op kennissen en zelfs op Sofie, ook zij had ons in de steek gelaten.

Koen en Jeroen waren mijn grootste steun en doel om voort te leven.

16 januari 1989
Sofie, soms verlang ik zo naar een nieuwe baby, soms wil ik er helemaal geen. Soms stel ik mij voor dat het dan een meisje zou zijn en dat ze op jou lijkt. Ik voel me dan gelukkig, dan heb ik jou terug.
Waarom zou jij niet kunnen terugkeren in een nieuw kindje? Ik mis je, bolleke.

24 januari 1989
Daarnet ben ik met een koud hart jouw kamer binnengegaan. Ik hoopte dat het me zou lukken je kleertjes op te ruimen. Waarom ik dat absoluut wil, weet ik niet, maar ik denk er elke dag aan alsof er daarna een last van mijn schouders zou vallen. Ik stond daar en besnuffelde je lakentjes die nog steeds op je bedje lagen, ik rook niets. Ik maakte me hard en begon de kleertjes in dozen te doen. Er zijn kleertjes voor 1 jaar bij, die jij binnenkort zou kunnen dragen, nog nieuw.
Toen kwam ik bij de flessen en speciale speentjes, voor jou gekocht omdat je liever van de borst dronk en geen fles wou. Wat moet ik hiermee? Het werd me allemaal te veel.

Gisteren heeft Koen naar de kliniek gebeld, de professor heeft nog geen microscopische uitslagen van de autopsie. De macroscopische tests hebben niets uitgewezen. Ik besefte ineens dat het dan toch hoogstwaarschijnlijk wiegedood was. Ik kan het niet geloven, een kind van 9 maanden oud dat nooit eerder een ademhalingsstilstand heeft gedaan. Het kan toch niet dat jouw hersenen nog niet volledig ontwikkeld waren. Er moet iets anders geweest zijn. Ze moeten iets over het hoofd gezien hebben.
Sofie, ik ben over tijd. Ik ben zo bang.

30 januari 1989

Sofie, ik moet jou iets vertellen wat mij hard valt jou te zeggen. Je krijgt er een broertje of zusje bij. Je mag het niet zien als een vervanging van jou, jij bent niet te vervangen. Je was een pracht van een dochtertje, een uniek kind. Maar elk kind is uniek. Je nieuwe zusje of broertje zal op zijn of haar manier uniek en speciaal zijn, maar jij hebt toch een speciaal plaatsje in mijn hart.

Ik voel mij op het ogenblik zo verward. Ergens wil ik bewust nog niet genieten van mijn zwangerschap omdat ik de tijd daarvoor nog niet rijp vind. Anderzijds wil ik toch naar dit nieuwe kind toe leven en het aanvaarden, maar ik ben zo bang om het terug te moeten afstaan. Waarom nemen wij dit risico eigenlijk?

14 februari 1989

Gisteren moesten we bij de professor komen. Ik hoopte ergens dat ze een oorzaak gevonden hadden, misschien een infectie, maar ze hebben niets gevonden. Nu zitten we met nog meer vragen, zeker omtrent de toekomst.

13 maart 1989

Weer een maand verder. Ik voel mij zo oud. Ik ben nooit meer speels, ik lach veel minder. Wat buiten mijn gezin gebeurt, interesseert mij niet meer of weinig.

Jeroentje is ziek. Ik merk dat ik nu veel sneller ongerust ben, zelfs echt bang dat hij ineens dood zou zijn.

Vorige zondag zijn we naar een bijeenkomst van SIDS geweest. Het was enkel voor ouders van een overleden kindje of near-miss. In het begin dacht ik dat ik nog helemaal niet klaar was voor zo'n gesprekken, maar toen we terugkwamen, voelde ik mij echt goed. Ik was blij dat we eens met mensen met dezelfde ervaring gesproken hadden. Deze mensen zitten met dezelfde vragen, sommigen vonden al antwoorden. Je voelde je niet langer alleen. Ieder "geval" had wel iets speciaals: leeftijd, of plaats van gebeuren, of iets anders. Maar het gaat tenslotte altijd om een schijnbaar gezond kind dat plots overlijdt. Het gaat ook om de angst voor een volgend kind.

Ik voelde mij schuldig omdat ik snel terug zwanger was, maar veel koppels kozen hiervoor en voelden zich daar goed bij. Dat geeft ergens een steun.

6 april 1989
Ik voel me zo alleen met mijn verdriet. Koen en ik verwerken de dood van jou ieder op onze eigen manier. Ik wil praten en Koen heeft daar moeite mee.
Daarbij heb ik het gevoel dat ik de zwangerschap alleen moet dragen. Koen praat niet over de nieuwe baby en streelt mijn buik niet meer. Ik word constant met de zwangerschap geconfronteerd.

12 mei 1989
Vandaag trachtte ik jouw foto's in te plakken. Wat was dat moeilijk, driemaal ben ik opnieuw begonnen, ik stelde het altijd opnieuw uit. Als ik dan die prachtige foto's zag, steeds lachend, met putjes in je wangen, dan had ik het gevoel dat jij boven lag te slapen, je leek zo levend. En dan besefte ik ineens dat je zo "was", een verschrikkelijk gevoel.

25 mei 1989
Vandaag bij de gynaecoloog was er een vrouw met een kindje van rond de 9 maanden. Ze zette het naast de buggy. Als ik dan dat kindje zo zag proberen een paar pasjes te doen, kreeg ik weer een huilbui. De gynaecoloog raadde me aan om eens naar een psychiater te gaan. Ik weet niet wat ik daarvan moet denken. Precies of je geen verdriet meer mag hebben.
Nu ben ik bijna 5 maanden zwanger en ik voel me niet zoals het zou

moeten. Ik heb weinig zin om erover te praten, om voorbereidingen te
treffen, ik merk dat ik soms het liefst mijn buikje zou verstoppen.
Anderzijds ben ik blij dat we terug zo'n teer, klein kindje krijgen, maar
ik ben zo bang.
Als Jeroentje in het zand en water aan 't spelen is, probeer ik me voor te
stellen hoe het met jou erbij zou zijn, samen spelen en ruzie maken.
Maar ik kan me jou niet ouder dan 9 maanden voorstellen.

4 juli 1989
We zitten aan zee en alle herinneringen van vorig jaar komen terug. Je
was toen vier maanden. Ik was bang om mensen tegen te komen waar
we toen contact mee hadden. Bang dat ze naar jou zouden vragen.

Sofie, ik droom veel van jou, maar meestal ben je nooit ouder dan 9
maanden.
Laatst droomde ik dat je toch ouder was. Je liep al rond en praatte,
"Jeroentje met auto spelen" zei je. Je had hetzelfde gezicht maar was nu
slanker geworden. Toen ik wakker werd, was ik echt gelukkig. Ik besefte
niet goed dat het geen realiteit was.
Sofie, ik hoop dat ik jou ooit weerzie.

4 september 1989
Mijn zus heeft haar eerste kindje gekregen. Voor hen is het nu ook
enorm moeilijk. Zij zitten ook met veel vragen en angsten, net als wij met
ons toekomstig baby'tje. Angst voor leven met een monitor, angst om
toch nog een kindje te verliezen.

Je bent nu 9 maanden geleden gestorven, even lang dood als je geleefd
hebt. Toch lijkt het alsof we je langer bij ons gehad hebben.
Ons verdriet is nu wel anders maar het komt zo met stoten. Dagen dat
het helemaal niet gaat, dat ik heel zenuwachtig ben en voor het minste
huil, en dagen dat ik me gelukkig voel.
Wat heb ik het moeilijk als ze vragen het hoeveelste kindje we krijgen.

Het doet telkens zo'n pijn om er opnieuw over te beginnen. Soms valt een gesprek dan stil, soms komt er juist een op gang.

We zijn maar 1 keer samen naar de psycholoog gegaan. Het gaf zo'n koud gevoel om iemand tussen ons twee te hebben. Ik besefte wel dat er meer gepraat moest worden, maar daar is geen derde persoon voor nodig en zeker geen vreemde.

Jeroentje denkt precies dat jij terug gaat komen in het nieuwe kindje. De baby mag alleen Sofie of baby'tje noemen van hem.

Er lag een roosje op jouw grafje van je nieuwe neefje, een heel mooi gebaar.

29 januari 1990
Begin 1990, een tweede Kerstmis zonder jou. Kerstmis zal nooit meer hetzelfde zijn als vroeger.
1989 was een volledig jaar zonder jou, een jaar van veel verdriet, heel veel pijn. Een jaar waarin heel veel gebeurd is en dat toch zo traag ging. Een jaar waarin we enorm veel geleerd hebben, een jaar dat ik nooit meer zou willen meemaken.

Jouw zusje, Loes, is geboren op 3 oktober. Ik vond dat ze op je leek, maar je ziet wat je wil zien, want iedereen vond haar heel anders. Al snel merkte ik ook dat ze totaal anders was, vooral dan haar karakter, voor zover je dat al kan opmaken. Loesje lijkt meer een echt meisjestype, gevoelig en aanhankelijk. Jij was meer een kwajongenstype (denk ik), minder afhankelijk, je kon tegen een stootje.

Sofieke, ik wil dit dagboek sluiten. Niet dat ik een punt achter het gebeurde zet, want ik denk nog elke dag aan jou, ik praat nog elke dag over jou, je blijft altijd bij ons aanwezig.
Ze zeggen dat je er rijper van wordt. Nu, ik voel mij helemaal niet rijper, ik voel mij ouder en moe. Ik kan het nog steeds niet aanvaarden, ik voel

nog steeds de woede in me opkomen als ik aan die dagen terugdenk,
maar ik heb geleerd ermee te leven. De ene dag gaat dit al wat beter
dan de andere, maar het moet.
Koen en ik zijn misschien wel dichter naar elkaar gegroeid. We dragen
iets wat we met niemand anders volledig kunnen delen, we zijn geweldig
afhankelijk van elkaar door het verdriet dat we samen dragen.
We zijn ons meer bewust van hetgeen we wel hebben, maar daardoor
leven we misschien ook met een grotere angst om dit moois te verliezen.
Het heeft een tijd geduurd voor ik me aan Loes durfde binden, maar ik
besefte dat ik elke dag, elk uur van haar moest genieten.
Ik geniet nu zoveel ik kan van Loes, Jeroen en Koen. We zullen met jouw
herinneringen moeten verder leven. We houden van jou.

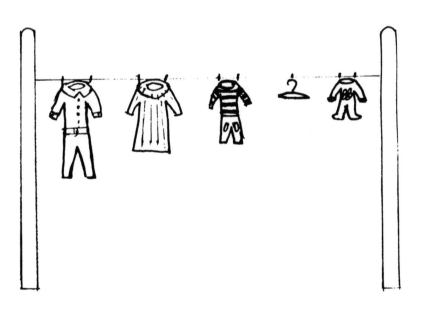

Juni 1993

Ons Sofieke zou reeds 5 jaar zijn.

Loesje is inmiddels 3 jaar. Ondanks de negatieve testen op wiegedood, hebben wij haar 2 jaar aan de monitor laten liggen. De professor drong aan om deze vroeger terug te geven, maar kon natuurlijk niet uitsluiten dat Loesje geen wiegedood zou doen. We kochten zelf een monitor. Dit heeft vooral met de leeftijd van Sofie te maken. Als wiegedood nog op 9 maanden voorkomt, kon dit voor ons evengoed later. Onze grootste angst was om haar ergens anders te laten slapen, Sofieke stierf bij mijn zus.

Loesje is dan ook nergens anders gaan slapen tot ze 2 jaar was.

We hadden geen problemen met de monitor. Als er een alarm was, was dit omdat de batterij leeg was, of omdat de sensor niet goed plakte of versleten was. We kochten een nieuwe babyfoon, waardoor we haar ademhaling zelfs konden horen.

Ik had veel vertrouwen in ons Loesje, zij zou ons dit niet aandoen.

Sinds oktober hebben we er nog een zoontje bij, Kobe. Met Kobe heb ik het precies wat moeilijker. Kobe lijkt in alles veel meer op Sofie, uiterlijk en karakterieel. Loesje laat alles komen zoals het komt. Ze is inderdaad een echt juffertje geworden. Kobe is ook een kind dat echt vooruit wil.

Ook hij zal, indien mogelijk, tot 2 jaar aan de monitor liggen ondanks de negatieve testen.

Tijd heelt wonden, inderdaad. Het eerste jaar na Sofiekes dood kroop voorbij. Ik leefde steeds naar een bepaalde gebeurtenis toe, in de hoop dat het verdriet dan minder werd, onder andere de kleertjes opbergen, de uitslag van het onderzoek, de verjaardag van Sofie, de geboorte van Loes.

Uiteindelijk werd het niet beter door een van bovengenoemde momenten, maar doordat de tijd vooruitging. Het verwerken van de dood van je kind vraagt tijd, heel veel tijd.

Sebastiaan

12 - 8 - 1991
11 - 10 - 1991

Sebastiaan,
je bent gestorven, zo plots, zo stil.
Ik kan het niet geloven.
Ik kan je niet loslaten, mijn lieve jongen.
Je hebt ons zoveel geluk gebracht
in je korte mooie leven bij ons.
We bewaren alles in onze herinneringen,
alles wat we van je kregen,
alles wat we samen beleefden.
Sebastiaantje, we blijven altijd verbonden.

SEBASTIAAN, mijn lieve Sebastiaan,
de door ons allen lang verwachte!

Dit is het verhaal van Sebastiaan, van hem en van ons, zijn ouders, Jan en Dany, zijn zussen Eva (9 jaar) en Hanne (7 jaar) en zijn broer Peter (5 jaar). Het gaat over onze mooie tijd samen met hem, onze pijn en het verdriet zonder hem bij ons. Ik draag daarom deze tekst aan hem op.

Verwachting

De echografie van Sebastiaan in januari 1991 was, na een positieve urinetest, het eerste objectieve teken dat hij leefde. Op dat moment voelde ik in mijn lichaam ook de signalen van zijn bestaan. Net als Peter, die uit het buitenland in ons gezin kwam en al een kleine vijf jaar bij ons woonde, verwachtten we dit kindje met ongeduld en zouden we het met open armen ontvangen.

Begin maart vertelden we de kinderen dat er groot nieuws was en toen we hen lieten raden wat er dan wel zou gebeuren, kon zus Eva het als eerste ontdekken. De kinderen onthaalden het nieuws op groot gejuich. We toonden hen de foto's van de echografie en ze noemden hem onmiddellijk "garnaaltje" naar de vorm van het vruchtje in het begin van de zwangerschap. Als we aten, wensten ze "garnaaltje" in mama's buik ook smakelijk eten. Hij hoorde er dadelijk echt bij. Het wachten op zijn geboorte duurde lang... zeker voor broer Peter en zussen Hanne en Eva.
We wisten dat het een jongen zou zijn en we vertelden het aan de meisjes die dat geheim van ons gezin tot het laatste uur konden bewaren. Op school en bij vriendjes vertelden de zussen en broer veel over hem: hoe hij er nu al uitzag, hoe groot hij al was en zo meer. Zij volgden Sebastiaans evolutie met spanning en vol blijde verwachting.
Naast al het mooie van de verwachting maakte ik me ook wel zorgen: "Zal

alles goed gaan?". Een zwangerschap op latere leeftijd... het verloopt niet altijd even gemakkelijk.

Op mijn werk klonk de reactie op het nieuws van de zwangerschap hoegenaamd niet positief. De baas deelde niet in onze vreugde en ik werd afgeschreven: "De dienst riskeert dat een zwangere vrouw minder presteert en ze moet alleszins minstens 14 weken haar werk onderbreken..." Samen met mijn kindje wilde ik laten zien dat mijn prestaties niet zouden verminderen en ik deed mijn uiterste best om mijn werk correct uit te voeren, zoals voordien en zonder ziektedagen. Ik bleef ook werken, zelfs tot de laatste dagen voor de bevalling. Maar de werkgever bleef het moeilijk hebben met mijn zwangerschap en dat zette een domper op ons geluk. Al kon ik begrip opbrengen voor zijn standpunt als werkgever, deze situatie maakte het mij, ons, vaak zeer moeilijk. Na alles wat met Sebastiaantje gebeurde, heb ik veel schuldgevoelens gehad, en vaak heb ik die nog, over dat hard wroeten op het werk en thuis. Heb ik daardoor mijn jongen niet veel tekort gedaan?

In mijn buik ging onze jongen overal mee, ook op vakantie naar de Ardennen, naar de Efteling, bij vrienden... Ik praatte meer en meer met hem. We bereidden ons samen voor op de bevalling, op zijn geboorte.

Vervulling

Op 12 augustus, wat eerder dan verwacht, was het dan zover. 's Namiddags wat pijn, dan meer, duidelijker signalen; telefoneren naar Jan op zijn werk om hem tijdig naar huis te laten komen; de opvang van de andere kinderen regelen. Tegen 18 uur vertrokken we naar de kliniek voor de grote gebeurtenis. Omdat Sebastiaantje zich in stuitligging bevond, voorzag de dokter een keizersnede, maar toch is Sebastiaan om 21u20 op een natuurlijke wijze en vlot geboren. Daar was je! Ik was enorm fier op jou en op mezelf. We hadden dat samen prachtig gedaan.

Kort na de geboorte belde Jan naar huis. Eva, Hanne en Peter wisten het grote nieuws rond 21u30. De volgende dag kwamen ze op bezoek en brachten hun zelfgemaakte cadeautjes mee.

Sebastiaan begon dadelijk goed te drinken en dat heeft hij zijn hele korte leven gedaan. De borstvoeding verliep prima, tot ons beider grote vreugde. Al de tweede dag gaf Sebastiaan ons een heerlijk lachje cadeau, iets wat we daarna nog dikwijls mochten zien. Sebastiaan en ik waren samen in de kliniek: dag en nacht. Ik kon hem vanuit mijn bed steeds zien. Zijn mooi gezichtje; ik kon er niet genoeg van krijgen. Papa kwam ook vaak. Het waren innig mooie momenten. Het was ook de hele tijd mooi weer...

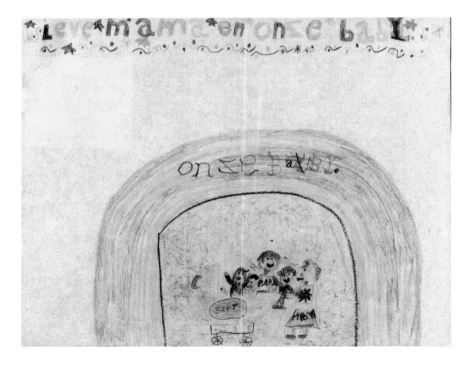

Voor het eerst sinds onze trouwdag hadden we een fles champagne gekocht. Toen we weer allemaal samen thuis waren, hebben we die op Sebastiaan gekraakt, opdat hij zou mogen opgroeien tot een gezonde, flinke, gelukkige jongen, die de anderen graag zag en van wie de anderen hielden. Misschien school er in jou wel iets geniaals, zoals in je illustere naamgenoot (J. Sebastian B.: de grote favoriet van papa).

Mijn stem herkende je al de eerste week: heerlijk! Je kalmeerde als ik tegen je sprak. Zussen en broer waren allemaal zo in de weer om je speelgoed te laten zien: rammelaartjes, een kleurig boekje... Ze wilden jou zo graag pakken en Eva was daar al erg handig in. Ze gingen ook graag met je wandelen in de koets, wat door de schitterende nazomer vaak mogelijk was.

Velen vonden het geboortekaartje erg mooi met de originele tekst en de tekeningen van broer en zussen. We hadden er inderdaad samen aan gewerkt en we hadden ook samen naar de geboorte toe geleefd. We kregen veel kaartjes en wensen van familie en vrienden. De mooie dingen die sommige mensen schreven, deden ons veel plezier. We waren mensen dankbaar die in onze vreugde deelden en jou veel goeds toewensten.

Sebastiaan at veel en goed, hij zoog heel krachtig en kon zo gezellig tegen me aanliggen. Na een maand woog hij al één kilo meer dan bij zijn geboorte! We waren zo fier en blij.
Jan kocht een videocamera naar aanleiding van zijn geboorte en van al het prachtige dat we mochten meemaken. Zo konden we zijn grimasjes, de spelletjes samen, het samen zijn met Eva, Hanne en Peter heel goed bekijken en ervan nagenieten.

Rond 4 oktober maakte Sebastiaantje zijn eerste, kleine ziekte door: hoesten, overgeven, krampjes. Hij was bijna niet te troosten, want zijn hele lijfje had pijn. Gelukkig ging het met wat medicijntjes gauw beter en werd hij weer de goede, vinnige Sebastiaan. Zijn lachje was er weer: de lach op zijn gezicht, een echte deugnietenlach. Het maakte me zo blij. Sebastiaan, met zijn mooie kijkers; donkerblauw-grijs, en zijn wimpers begonnen zich te krullen zoals bij zijn zus Eva. Mooierdje van ons!

Verlies

11 oktober - Die afschuwelijke vrijdagavond. Zoals altijd vrij druk. Sebastiaan weent nogal en is moeilijk te troosten. Als Jan thuiskomt, neemt hij hem van mij over en legt hem na korte tijd in zijn wiegje in een aangrenzende kamer, want daar is het rustiger en wordt hij minder gestoord door het gejoel van de andere kinderen. Het is bijna zeven uur.
We eten, ik vertel nog een verhaaltje aan de oudsten en we brengen ze naar

bed. Ik wil nog even langs Sebastiaan maar doe het niet, denk dat hij nu toch rustig slaapt en Jan heeft niet graag dat ik voortdurend bij hem langs ga. Nadat de anderen in hun bed liggen, ga ik toch kijken en vind onze lieve jongen met een wat koude wang. Ik neem hem eruit, roep Jan, schreeuw het uit. Jan neemt Sebastiaantje van mij over, en roept: "Nee toch!" Ik loop met Sebastiaantje in paniek naar de kinderen. We huilen en schreeuwen allemaal.

We kunnen het niet geloven. Het flitst door mijn hoofd: NOOIT MEER SEBASTIAAN! Ik kan het niet geloven, wil het weer omkeren, het gebeuren teniet doen, alles tegenhouden. Over dat afschuwelijke moment van het vinden van onze jongen kan ik bijna niet schrijven, al heb ik het daarna nog zoveel keer opnieuw beleefd en weer geroepen: NEE!

De huisarts komt en blijft uren bij ons. Na overleg met hem over de voor- en nadelen van een autopsie, beslissen we Sebastiaan bij ons te houden en geen autopsie te laten doen in het ziekenhuis. We zouden hem ginder hebben moeten laten, want een overledene kun je zonder toestemming niet zomaar vervoeren. In de plaats daarvan gaat onze huisarts een paar spullen halen in de kliniek om zelf een minimaal onderzoek te doen: hij neemt wat speeksel, urine... Uit dit onderzoek blijkt later dat niets abnormaals gevonden werd: wiegedood dus.
Achteraf bekeken vonden wij het een heel goede keuze Sebastiaantje bij ons te houden. We zijn blij dat we hem zo nog enkele dagen bij ons thuis hebben kunnen koesteren.
Kort na de aankomst van de huisarts druipen de andere kinderen stilletjes af en gaan alleen naar bed. Jan en ik zijn niet echt in staat om in deze omstandigheden naar hen om te kijken. Eigenlijk zijn ze ondanks hun eigen verdriet toch bijzonder moedig.
We bellen wat familie en enkele vrienden op. Diezelfde avond nog komen Sebastiaans meter, een goede vriendin van ons, en haar man langs. Zij zitten er ook verslagen bij. Al kunnen ze niet veel meer doen dan gewoon er zijn, toch doet hun aanwezigheid ons deugd.
Die avond komen ook nog een begrafenisondernemer en onze pastoor langs. Sebastiaantje wordt opgebaard in zijn mooie wiegje, het wiegje ook

Sebastiaan is bij ons

Kort daarop brengt mijn moeder het idee aan om een beeldje te laten maken bij een beeldhouwer die ze ontmoet heeft. We vinden dat een schitterend idee. Enkele dagen later gaan we met zijn allen naar deze man toe, opdat we elkaar beter zouden leren kennen en opdat hij ons verhaal zou horen. Hij heeft in zijn eigen leven ook verlies meegemaakt. We vertellen hem over Sebastiaan, over onszelf en over onze stukgeslagen dromen en we vragen hem of hij iets wil maken; het zou voor ons een zichtbaar teken kunnen zijn van Sebastiaans aanwezigheid bij ons. Aarzelend stemt hij toe. We kijken ook samen naar zijn beelden en luisteren naar wat hij erover vertelt: veel van zijn beelden spreken over geboorte en liefde...

Eva wordt negen jaar; Sebastiaan zou nu drie maanden geworden zijn. Hoe zou hij eruit gezien hebben? Zowel Peter als Hanne schrijven als vanzelfsprekend Sebastiaans naam bij op de verjaardagskaart voor Eva. Ze spreken ook over "de kamer van Sebastiaan" als ze de kamer bedoelen waar hij geslapen zou hebben als hij ouder geworden was. Het doet pijn, maar het is ook goed dat hij nog zoveel bij ons is, dat we over hem spreken, dat hij één van ons is en blijft.

Ik zette gisteravond eventjes zijn muziekje aan: een mobile die boven zijn bedje en park hing en het wiegeliedje van Brahms speelt: het muziekje waar hij de laatste dagen van zijn leven zo van begon te genieten. Hij begon ernaar te kijken, ermee in te slapen. "Inslapen", dat woord snijdt door me heen. Een paar tellen maar kon ik luisteren. Wat deed dat pijn!

De laatste roosjes uit de tuin van dit jaar zet ik bij zijn prentje in huis. We denken altijd aan hem.
Eind november. Peter heeft verdriet, hij spreekt over traantjes in zijn ogen om zijn broer. Hij voelt zich verlaten. Hij zou zeker een heel lieve broer geweest zijn voor Sebastiaan. Peter wil nu weer de kleinste zijn en gedraagt zich ook wat zo. Het is zijn manier om zijn gemis en verdriet te uiten. Hanne maakt een heel mooi verhaal over gelukkig zijn en verdriet hebben. Op haar manier is ze ook met Sebastiaan en haar gemis bezig

Leren leven met zijn dood

Na het einde van mijn bevallingsverlof, dat ik verder zonder Sebastiaan doormaak, ga ik weer werken. Het is zwaar, ik mis mijn jongen zo en ik schreeuw zijn naam in de auto, als ik alleen ben. Ik draag hem als een kostbare schat steeds in me mee. Weer gaan werken valt mij bijzonder moeilijk, omdat de baas zo lelijk deed toen ik in verwachting was. Dat heeft me verschrikkelijk veel pijn gedaan. Ik vond het zo ongepast en onrechtvaardig. Na mijn terugkomst blijft de sfeer slecht en blijkt de verstandhouding definitief verbrod.

Toen mijn auto een keer defect was en ik de pechverhelping belde, kwam dezelfde mechanicien als bij een panne in de zomer, toen ik hoogzwanger was van Sebastiaan. Hij informeerde nu naar ons kind. Dat deed me ineens zo'n immense pijn, al was het natuurlijk erg lief en attent van die man. Voortdurend voel ik de pijn van dat gemis en tegelijk waardeer ik wanneer mensen naar Sebastiaan informeren en hem ter sprake brengen.

In het televisieprogramma "Zeker Weten" van Jan Van Rompaey kwam het naderend 1991-jaaroverzicht ter sprake: "Het belangrijkste jaar sinds 1968, omwille van de Golfoorlog, de evoluties in Rusland, Zaïre en zo meer." Maar ook voor ons was het zo'n intens jaar, het jaar van Sebastiaan! Het jaar dat hij bij ons kwam, eerst groeide in mijn buik, geboren werd en voorzichtig dag zei aan de wereld, bij ons was en weer heenging naar zijn nieuwe leven. In diezelfde uitzending kwam een fragment van een interview met Lutgard Van Heukelom, de moeder van Myriam, die over haar overleden dochter een boek schreef. Ze hield onder andere een pleidooi voor het bespreekbaar stellen van de dood. Ze zei ook dat als er iemand sterft van wie je veel hield, zijn geest altijd bij jou blijft. Die verbondenheid voel ik ook met mijn lieve jongen.
Tegelijk mis ik hem zo, ook lichamelijk. Ik mis zijn persoon maar ook zijn lieve lijfje, zijn lachje, zijn zuigen.

"Soms heb ik het schrikbeeld dat door de vele regen zijn kistje de aarde erboven niet langer kan dragen. Het idee dat zijn lichaam

verpletterd en geschonden zou worden, is ondraaglijk. Zijn lieve
lichaampje dat ik zo koesterde, moet mooi blijven."

We gaan op bezoek naar onze goede vriend in de Oostkantons. Het sneeuwt
er. Eva zegt: "Nu zou Sebastiaantje de sneeuw zien." Zij gelooft vast dat hij
haar opwacht, als zij eens de aarde verlaat. Dat troost haar een beetje in haar
verdriet om hem.

20 januari is de feestdag van Sebastiaan. We zijn vandaag een lantaarntje
op zijn grafje gaan zetten. Nu brandt er een lichtje bij hem, een lichtje van
warmte en aanwezigheid van ons bij hem. Hanne heeft ook een tekening
gemaakt voor op zijn grafje en we maken het met enkele punaises vast aan
het houten kruis.

"Ik ben zo bang nog iemand van mijn dierbaren te verliezen, Jan of een van de kinderen. Ik durf het bijna niet te verwoorden. Sebastiaan die me zo dierbaar is, is van ons weggerukt en ik kan het niet aan. Ik heb daardoor zo'n angst nog te verliezen. Dat wil ik niet!"

's Morgens, voor we naar school gaan, lopen we vaak nog eens langs bij het grafje, soms gewoon om Sebastiaantje dag te zeggen, soms ook om te zien of zijn lichtje nog brandt. De zussen en broer komen dan naar hem toe gelopen. Zo hebben wij ons vertrouwde plekje op het kerkhof, in de schaduw van de mooie Romaanse kerk, en met de duiven als gezelschap.

Eva maakt in de klas een boekbespreking. Ze kiest het boek 'De gebroeders Leeuwenhart' van Astrid Lindgren, over het leven na de dood. Ze leest het erg gedreven en in een hoog tempo.

Februari '92 - Het was gezinsviering in de parochie, opgedragen aan Sebastiaan. De zussen en broer droegen de offergaven naar voren. Het is zo pijnlijk, het verdriet is zo verscheurend. Het blijft zo moeilijk om een nieuw evenwicht te vinden, om weer "gelukkig" te zijn zonder Sebastiaantje bij ons hier.

We gingen voor de eerste keer naar een praatgroep van "ouders van een overleden kind" in Brabant, in Nossegem. Het was emotioneel erg zwaar maar goed. Zoals de begeleider zei: "Het is als een ontsmetting op een wonde; het doet pijn maar het zuivert en geneest de wonde uiteindelijk." De mensen waren open en tegelijk kwetsbaar. We hebben met veel tranen ook over ons verdriet kunnen vertellen. Het is nog steeds een bijna onvoorstelbaar idee ook te behoren tot de groep "ouders van een overleden kind".

We gingen diezelfde avond eten met drie echtparen die ook hun kindje door wiegedood verloren hadden.

Opnieuw voelden we diezelfde aarzelende betrokkenheid. Ook voor hen was het de eerste keer dat ze andere koppels ontmoetten wiens kindje in gelijkaardige omstandigheden overleed. We zaten daar, vier koppels, met verdriet om een kind dat ons zo dierbaar was.

Hoe leer je daarmee leven?

Maart '92 - Jan maakt zelf kaarsen om op het grafje in het lantaarntje te zetten. We willen vaak een lichtje bij hem. Er is nog zo weinig dat we voor hem kunnen doen...

We zijn nu ook bij de beeldhouwer het beeldje gaan halen dat hij op ons verzoek maakte. Het is heel mooi en krijgt een ereplaats in onze living. In al onze vezels en nu ook, door het beeldje op zichtbare wijze, heeft Sebastiaan een plaats bij ons en zo is het goed. Het beeldje helpt ons hem op een zinvolle manier aanwezig te hebben en te houden in ons huis, ook zijn huis.

"Ik kan Sebastiaan telkens opnieuw weer zo missen, zijn aanwezigheid, zijn lieve lichaampje, zijn kwetsbaarheid, zijn zo totale afhankelijkheid van ons, lieve, lieve jongen. Ik roep zijn naam in de auto, als ik alleen thuis ben, ik roep zijn naam in alle toonaarden. Eigenlijk is hij er wel voor mij, maar ik kan hem niet meer voelen, zien, horen, ruiken en zien opgroeien als een lieve grote jongen. Ik denk vaak aan dat afschuwelijke moment dat ik hem vond: zijn mooie oogjes voor altijd gesloten, zijn lieve lijfje zo stijf en koud. Zo afschuwelijk, zo onherroepelijk!"

Het stemt me van binnen wel wat zachter dat de zussen en broer er Sebastiaan als vanzelfsprekend altijd bijdenken of -noemen, zoals Peter die in de behangerswinkel zei dat we met z'n zessen zijn thuis. Was onze lieve jongen maar helemaal hier!

Nieuw leven naast Sebastiaan

Jan en ik hebben beslist dat we ondanks de gebeurtenissen toch nog een kindje willen; niet om Sebastiaantje te vervangen, want dat kan toch niet, maar wel omdat we toch een vierde (of vijfde) kindje wilden. We wilden ook niet alleen maar blijven zitten met Sebastiaans overlijden als laatste grote negatieve gebeurtenis en tegelijk toch het nieuwe en hoopvolle een kans geven. Eind maart weten we dat er een broertje of zusje van Sebastiaan, en natuurlijk van de andere kinderen, op komst is. Dat is snel gegaan, een cadeautje van Sebastiaan? Tegelijk mis ik hèm ook weer zo. Alles bij elkaar stemt de komst van het nieuwe kindje ons mild en dankbaar.

"Vaak zou ik de tijd willen tegenhouden, de tijd die me altijd verder verwijdert van de periode dat Sebastiaan bij ons was. De tijd gaat zo onbarmhartig verder, en hij is hier niet meer tastbaar bij ons; ik bewaar hem in mijn hart, altijd blijft hij aanwezig, bij al wat ik doe. Ook als ik heel "plezante"dingen doe, zoals naar een muziekoptreden gaan. Ineens denk ik dan aan hem, aan zijn mooie kijkers bijvoorbeeld. Vaak lopen dan, in de duisternis van de zaal, de tranen over mijn wangen. Meer nog dan vroeger besef ik wel hoe gelukkig ik ben met Jan, met de kinderen. Ik hoop dat we allemaal nog lang samen mogen blijven."

11 mei - Het is nu al zeven maanden geleden dat Sebastiaantje ophield met ademen en al een kleine zeven maanden ligt hij daar in zijn kistje onder de grond. Hoe afschuwelijk! Ik durf me niet voorstellen hoe hij er nu uitziet; dat zal niet meer die mooie lieve jongen zijn zoals we hem kenden. De wonde die zijn heengaan geslagen heeft, is zo groot. Ik hoop dat Sebastiaantje geborgen en gekoesterd is bij onze hemelse Vader.

Jan en ik zijn erg blij met het broertje of zusje. We kijken er met verlangen, maar ook met bezorgdheid en wat aarzeling naar uit. We zagen de echografie bij Prof. V. De beelden waren zo vertederend: het kindje lag er zo mooi in de baarmoeder en het bewoog met zijn armpje, een nieuw "garnaaltje". Het deed me denken aan de foto van Sebastiaan waar hij na zijn badje van op het verzorgingskussen ook "dag" lijkt te zwaaien. Zo doet alles mij voortdurend terugdenken aan hem. De echo was voor mij zo'n teken van leven. Dat kleine mensje van ons dat ons al begroet, zo van: "Heb vertrouwen" en: "Ik ben er".

De kinderen weten nu ook dat er weer een kindje op komst is. Ze reageerden alle drie heel blij met het bericht van nog een "garnaaltje", maar ook voorzichtig. Het lijkt of ze er niet meer zo openlijk over durven te spreken. Ze willen ook alle drie een broertje. Het is hun manier om Sebastiaan trouw te blijven; ze missen hem zo, maar hij is onvervangbaar. Ik hoop dat de vreugde, zo groot als die om Sebastiaan, er eens weer zal zijn. Toch zullen we deze vreugde altijd anders ervaren, want in onze gedachten en in ons hart blijft Sebastiaan altijd bij ons leven.

Hanne heeft weer een mooie tekening gemaakt voor op het grafje, met zes voorwerpen van verschillende soorten: 6 konijntjes, 6 bloemen, 6 bomen, enzovoort. De tekening siert zijn kruisje. Bij zijn beeldje in ons huis brandt een kaarsje dat Hanne tijdens de vakantie op haar sprookjeskamp zelf maakte. Ze is blij dat het bij haar broer mag branden.

Juni - Hanne doet haar eerste communie. Het zonnige weer laat toe dat het feest grotendeels buiten doorgaat. Jan heeft het goede idee het beeldje van Sebastiaan, dat anders in onze living staat, ook buiten te zetten: zo is Sebastiaan ook zichtbaar bij ons.

Juli - De elfde en de twaalfde, de dagen van zijn geboorte en van zijn overlijden, zijn voor mij altijd bijzonder moeilijke dagen, moeilijker en specialer dan de andere. Ook al zegt onze goede vriend tegen mij: "Il faut s'abandonner", dat gaat momenteel erg moeilijk. Wanneer we op 11 juli een kaarsje aansteken op het grafje, weent Jan plots hevig. Hij mist Sebastiaan ook zo erg, hij was hem ook zo dierbaar. Het raakt me diep.

Verjaardagen

Augustus - De dag dat Sebastiaan 1 jaar zou geworden zijn, waren we met vakantie in een buurland. Die vakantie deed deugd, ook al had ik het vaak moeilijk met mijn gevoelens. We "vierden" zijn verjaardag daar: keken in het fotoboek naar zijn foto's, gingen uit eten... Hanne zei: "Nu zal er wel een groot feest zijn in de hemel." Op de dag van zijn geboorte kregen we een paar mooie kaarten, niet veel. Misschien denken er meer mensen aan hem dan we weten, ik hoop het.

Jan werkt tijdens de vakantie verder aan de kamer die zijn kamer zou geworden zijn en die het wel altijd wat zal blijven. Zijn kamer wordt heel mooi, met een zacht tapijt.

September - Ik denk zo vaak aan onze lieve jongen. Een jaar geleden was hij bij ons. We waren zo blij, het was echter zo kort. Soms denk ik: hadden we jou toch niet kunnen redden, hadden we geen reanimatie kunnen toepassen? We stonden zo verslagen, zo verstomd op dat moment. Sebastiaan betekent voor mij, voor ons, zo'n kostbaar geschenk, maar ook zo'n gemis. Hij heeft mijn, ons leven zo door elkaar geschud, evidenties zijn verdwenen, vooral de evidentie van het leven zelf. Alles doet nog zo'n pijn. Ik zou hem willen zoeken, maar waar? In zijn grafje, bij de foto's in huis, in onze gedachten en herinneringen, in alles wat van hem was? Ik hoop dat er stilaan weer vertrouwen kan groeien.

Ik blijf nu thuis voor de laatste zwangerschapsmaanden van ons nieuwe kindje: een meisje. Dat is zo anders dan toen ik Sebastiaan verwachtte. Ik kan het nu rustiger aan doen, alhoewel ik vaak heel moe ben. Er is ook zoveel gebeurd en dat alles "verwerken" vraagt veel energie. Ik kan moeilijk begrijpen dat ik met Sebastiaan zo lang, zo hard werkte. En ik heb er ook dikwijls schuldgevoelens over: dat ik hem daardoor tekort gedaan zou hebben. Ik vraag me regelmatig af hoe het met hem is, precies zoals bij iemand die ik lang niet meer gezien heb. Ik zou zo graag een "teken van leven" hebben. Misschien is er dat wel, maar ik moet het zo willen zien, bijvoorbeeld het feit dat ons meisje zo actief in mijn buik is.

Wondere ervaring: toen ik boven op "zijn" kamer was, zat er een mooie vlinder, een dagpauwoog. Het deed me wat, een vlinder, symbool van nieuw leven, in zijn kamer, in dit seizoen. Een teken van zijn aanwezigheid?

8 oktober - Ik tel de dagen dat Sebastiaan vorig jaar nog bij ons was, we wisten nog niet dat het zo plots zou afbreken. Ik zou de tijd willen tegenhouden, de tijd die ons steeds verder verwijdert van de periode dat hij bij ons was.

> *11 oktober - Deze dag zagen we met verdriet naderen. Lieve jongen van ons, je bent en blijft altijd bij ons. We missen Sebastiaan heel erg, maar we zijn ook dankbaar om alles wat hij ons bracht en brengt. Hij heeft ons zeker nog meer bewust gemaakt van ons geluk en van wat echt belangrijk is. Maar het is bijna onmenselijk zo'n heengaan te moeten meemaken. Sebastiaan afstaan, hem loslaten, het doet zo'n pijn, telkens opnieuw.*

Opnieuw geboren

We gingen deze week het kaartje bestellen voor de aankondiging van de geboorte van zusje. Het deed ons veel plezier Sebastiaans kaartje daar in de map te zien bij de voorbeelden die de drukker bewaart. Sebastiaan blijft aanwezig. Het kaartje van Heleen lijkt ook erg op dat van Sebastiaan. De zussen en broer maakten elk een stuk van de tekening voor het kaartje, net zoals ze deden voor Sebastiaan, maar ze hadden wel minder zin om te tekenen. Durven ze nog niet blij zijn omwille van wat er met hun broertje gebeurde?

November - Ons meisje, Heleen, is geboren. Het is weer een wonder, zo klein, zo teder. Ze kwam ter wereld op 29 oktober, in dezelfde maand als

Sebastiaan van ons is weggegaan, een jaar later. Op zichzelf is het al een wonder dat het zo vlug kon; ik beleef het als een teken van hoop en vertrouwen.

In de kliniek lig ik op een andere verdieping dan bij Sebastiaan en dat is misschien goed, zo heeft ieder nog meer, en al van bij het begin, zijn eigen plaats. Zowel Jan als ik vergissen ons nog vaak en zeggen Sebastiaan tegen Heleen. Er is ook zoveel gelijkenis!

Heleentje heeft nu een monitor om haar ademhaling te bewaken. Hopelijk geraken we zo veilig door de gevaarlijke periode.

De dag nadat Heleen geboren is, is de bestelde steen en het marmeren kruisje op Sebastiaans grafje geplaatst. Toch een vreemde samenloop van omstandigheden.

Het doet me soms pijn dat tot nu toe bijna niemand Sebastiaan ter sprake brengt, als ze op bezoek komen voor Heleen. Jan oppert dat de bezoekers wellicht wel aan hem denken, maar nu niet over hem durven praten. Het valt ons ook op dat vrienden vlugger op bezoek komen dan bij Sebastiaan; ik heb dan de indruk dat ze bang zijn om te laat te komen.

Er komen stilaan toch wat gelukwensen die ook naar Sebastiaan verwijzen en dat doet me ergens plezier. Over hem zwijgen, is hem doodzwijgen en dat wil ik niet. Een vriendin van mijn moeder wou een bloemstukje maken voor zijn grafje in plaats van een cadeautje voor Heleen. Ik apprecieer dat. We voelen dat de vreugde om Heleen in zekere zin helpt om zijn afwezigheid en het verdriet daarover zijn plaats te geven, al blijft het pijn doen.

Alles wat er met Heleentje gebeurt, lijkt zoveel op wat we met Sebastiaan beleefden; we gebruiken dezelfde koets, voor een deel dezelfde kleertjes, hetzelfde speelgoed. Dat geeft soms een goed gevoel, maar soms is het ook pijnlijk als ik aan de mooie herinneringen denk, bijvoorbeeld het muziekje waar Sebastiaan zo naar luisterde en keek en van genoot, ook nog die laatste dag...

28 december - We hebben voor de tweede maal kerstdag gevierd zonder Sebastiaan in ons midden. Natuurlijk is hij er wel bij maar de lijfelijke afwezigheid doet pijn. Deze dag is opnieuw speciaal: vandaag is Heleen even oud als hij was toen hij van ons wegging. Het is een dag met aandacht voor hem en voor Heleen. We kunnen ons niet voorstellen dat Heleen van ons zou weggaan, en toch was het met Sebastiaantje zo. Zo onvoorstelbaar fataal.

14 januari - Zondag wordt Heleentje gedoopt. Sebastiaantje was nog niet gedoopt; de eerste viering voor hem was zijn uitvaartviering. Als ik in onze omgeving soms een grote jongen zie, dan denk ik: hoe zou Sebastiaan er als mijn grote zoon uitzien? Ik zal het niet weten, ik zal hem niet zien groot worden, ik zal die boeiende ontdekkingsreis van opgroeien en een persoontje worden bij Sebastiaan niet meemaken. Ik zal nooit die grote, eigen zoon naast mij voelen. Dat gemis blijft altijd. Ik stel wel vast dat ik iets makkelijker over Sebastiaantje begin te praten, maar achter die wat vlottere woorden blijft de pijn zitten.

De zussen en Peter zijn heel blij met hun kleine zus. Heleentje stelt het heel goed. Soms beleef ik het alsof Sebastiaantje wat in haar voortleeft, al is ze natuurlijk een eigen persoontje.

Heleentje is nu drie maanden; Sebastiaan werd geen drie maanden. Telkens als we een kaapje in de tijd nemen met Heleen - waar we zeer blij om zijn - denken we ook aan hem.

Dank je, Sebastiaan

Februari '93 - Vandaag kwam de intervisiegroep samen: een groep collega's met wie we ons werk bespreken. De mensen van de groep zien en zagen Sebastiaan graag en ze hebben heel fijn gereageerd op het hele gebeuren rond hem en ons. Ik heb er in die groep veel over kunnen vertellen en dat heeft me geholpen. Ik beleef het ook alsof Sebastiaan er de aanzet toe is dat we in die groep op zo'n diep en authentiek niveau hebben kunnen werken. Het lijkt me alsof Sebastiaan zovele mensen geraakt heeft zodat het beste bij hen naar boven kon komen.

10 april '93 - Het is paaszaterdag en Eva, Hanne en Jan hebben de paasviering bijgewoond. Het was een mooie viering, schijnt het. De aanwezigen kregen een kaars en na de viering zetten Jan en de kinderen hun kaarsen op het grafje. Die bleven ondanks de wind enkele minuten branden. Volgens Jan was het een prachtig gezicht, al dat licht van kaarsen in de avond bij het grafje.
We kijken naar de videobeelden die we van de periode met Sebastiaan hebben. Het lukt weer enigszins om ernaar te kijken. Eigenlijk ben ik blij dat ik hem zie, dat we die beelden hebben, dat hij zo ergens dichter bij ons is. Zijn leven is zo'n mysterie, ik begrijp niet waarom alles liep zoals het liep. Ik realiseer me ook dat het verwerken van zijn heengaan verzwaard wordt door mijn schuldgevoel dat ik hem tekort deed tijdens de zwangerschap. Ik zal nooit weten of dat zo is; misschien later als we mekaar terugzien. Ondertussen moet ik leren leven met de onzekerheid daarrond, leven zonder hem hier, met de pijn, soms heel scherp, soms op de achtergrond aanwezig als mijn eigen schaduw die me overal vergezelt, zoals Manu Keirse zo juist zegt.

Heleentje is een ander kind. Ze is een meisje, ze is mijn dochtertje, lief, bescheiden, tevreden, altijd vrolijk. Sebastiaan is mijn zoontje, klein en groot. Sebastiaan heeft zoveel voor mij veranderd.
Peter zei dit weekend: "Ik ben zo blij als iedereen samen thuis is, en van Sebastiaan hebben we toch nog veel foto's!" Broer en de zussen zijn zo gelukkig met Heleen. Ze weten door het heengaan van Sebastiaan nog beter

wat het is zo'n kleine lieverd te hebben en ze genieten van hun zus met steeds openlijker enthousiasme.

Mijn leven, ons leven, gaat voort, met de blijdschap om Heleen -wat is ze 'n wonder- en met de herinnering aan Sebastiaan. Ook de verwerking van het verlies gaat verder, moeizaam. Wat is een jaar in zo'n proces: een stapje. Sebastiaan, ik ben je dankbaar om alles wat je ons gaf en om alles wat je voor ons blijft betekenen. Ik dank ook iedereen die ons nabij was en is in ons verdriet en in ons leven.

Sofie

3 - 7 - 1991
30 - 8 - 1991

De hemel is donker en grauw.
De man beziet stil zijn vrouw.
Haar troosten, neen, dat kan hij niet.
Want ook hij vergaat van verdriet.
Ze staan daar beiden strak en stil.
De kamer lijkt zo kaal en kil.
Alleen gestoord door zacht getik.
Gesnuit, een zucht en een snik.
Het was hun allereerste kind.
Reeds door allen zo zeer bemind.
Onherroepelijk ging het heen.
En liet hen eenzaam en alleen.
Een woord van troost is niet gevonden.
Laat langzaam de scherpe kanten ronden.
En weet dat wij er allen zijn.
Om jullie te ondersteunen bij deze pijn.

Jiji Joris

Ons bloempje dat niet ontluiken mocht

In oktober 1990 waren we eindelijk zwanger. Na meer dan een jaar proberen en alle hoop bijna ontnomen, zou ons kindje meer dan welkom zijn. De zwangerschap verliep met de nodige spanning, want na al die moeite mocht het niet fout lopen. In die tijd had ik een marktkraam met snij-bloemen. Een job die ik liefdevol uitoefende, maar toch, het was erg zwaar. 's Nachts om drie uur op om naar Nederland bloemen te halen, en vijf tot zes dagen per week kraam opzetten en afbreken. Na de drukke eindejaarsperiode leek het ons dan ook verstandiger om met de zaak te stoppen.

Op het einde van de zwangerschap en door een samenloop van omstandigheden zoals een hoge bloeddruk en het op vakantie vertrekken van de gynaecoloog, werd besloten de bevalling op gang te brengen. Maandag 1 juli werd een infuus aangebracht en woensdagavond zette ik een meisje van 2,6 kg op de wereld, dat met de naam Sofie door het leven zou gaan.

Door de lange en zware bevalling had Sofie een ernstige infectie opgelopen. Als gevolg hiervan moest zij tien dagen in een couveuse en met antibiotica behandeld worden. Na die tien dagen mochten we haar mee naar huis nemen. Ze was toen van top tot teen onderzocht en vanaf dan was ze een normale, gezonde baby. We genoten van haar, namen haar overal mee en probeerden de verloren tijd goed te maken.

Tot het dan 30 augustus werd: de zwartste dag van ons leven.

Wat had ik een nare droom gehad die nacht: we hadden Sofie levenloos in haar wiegje gevonden en waren ermee naar het ziekenhuis gereden. Het ziekenhuis was vol met onvriendelijke dokters die ons allen verder stuur-den. We holden door talrijke gangen, maar niemand had tijd voor ons. Tot we door een verpleegster een lift in werden geduwd. De lift bracht ons omhoog en waar we uitstapten was zachte muziek, er waren overal vriendelijke, rustige, mooie mensen en er werd ons verzocht een nummer te trekken. Plots schrok ik wakker en oef... Ik had alles maar gedroomd.

Het was een van de laatste mooie zomerdagen en samen met mijn man Sigfried en Sofie gingen we een wandeling maken. We stapten met mijn nicht Hilde naar de abdij en sprongen binnen bij een tante. Daar waren ze druk bezig de eerste schooldag voor te bereiden. Met drie juffen bij elkaar kon het niet anders dan dat ook Sofies eerste schooldag aan bod zou komen. Haar toekomst werd druk besproken en het kindje kreeg al veel goede raad. Zoals elke andere dag, nam zij haar flesjes en deed haar dutjes tussendoor. Om de dag af te ronden, gingen we samen met Hilde eten in de taverne waar haar man Jan aan het werken was. Sofie mocht nog eens van schoot naar schoot en werd in haar wandelwagen gelegd toen het eten werd opgediend. Ze huilde nog een tijdje, maar we dachten: "Ze valt wel in slaap." Dat deed ze ook. Alleen wisten we toen niet dat het haar laatste kreetje was dat we hadden gehoord.

Een paar mensen kwamen nog naar Sofie kijken en een dame wenste ons veel geluk. Die dame komt mij nu voor de geest als een of andere verschijning. Het was toen we terug naar de wagen wandelden, dat ik vond dat Sofie in een rare houding lag te slapen. Haar "bloemetjes" op armen en benen waren allemaal weg. Ik zei Sigfried dat ik Sofie zou wakker maken omdat ze toch zo bleekjes was. Hij probeerde mij er nog van te weerhouden. Toen ik haar omdraaide, zagen we allebei dat er iets aan de hand was. Ik stond als aan de grond genageld. Mijn kindje bleek en stil, één mondhoekje blauw. "Wat nu?", was het enige wat ik zeggen kon.
Sigfried echter bleef heel nuchter en kalm, zei dat ik de 100 moest bellen, nam haar uit de draagmand, legde haar op de koffer van de wagen en begon te reanimeren. Voor zijn handelingen van toen heb ik nog steeds een grote bewondering. We hadden op het moment zelf immers alles gedaan wat we konden en dat maakte het later opkomende schuldgevoel iets minder. In een mum van tijd stond er een massa volk rond vader en kind, een dokter werd gehaald, een verpleegster bood haar hulp aan, maar het was een nutteloze strijd. Ik herinner mij vaag hoe ik heen en weer liep, bezorgde blikken werden op mij geworpen en de werkgever van Jan probeerde mij te troosten met de woorden: "Ze kunnen veel tegenwoordig." Weinige ogenblikken later arriveerde de ziekenwagen, de politie en nog later de Medische Urgentie Groep. Alle mogelijke hulp was bij Sofie.

Sigfried was ik door alle drukte kwijtgeraakt. De politiewagen nam Hilde en mij mee naar de spoedgevallendienst. Daar werd ik overstelpt met allerlei vragen. Vragen waarbij ik dacht: "Al goed dat het op een publieke plaats gebeurd is. Straks denkt men hier nog dat ik Sofie iets misdaan heb." Een kinderarts kwam binnen, hij vroeg wanneer zij voor het laatst gegeten had. Zijn manier van praten gaf mij eventjes een sprankeltje hoop. Maar hij rondde zijn gesprek af met: "Helaas mevrouw, ik heb voor u geen goed nieuws."

Daarop werd ik alleen gelaten. Ik moest Sigfried vinden, die zou hier toch ergens zijn. Ik liep de gang op en zag hem in een ander kamertje met het hoofd in zijn handen zitten. Nog steeds kon ik alleen maar zeggen: "Wat nu?"

Ik had verdriet, enorm veel verdriet, maar er kwamen geen tranen. Ik schaamde mij dan ook heel erg omdat ik niet huilde. Een dokter en een psychiater kwamen even met ons praten. Weer een heleboel vragen over Sofie: haar gezondheidstoestand, haar gewoonten...

Ze vertelden ons dat ze gedaan hadden wat ze konden, maar dat Sofie al te lang overleden moest geweest zijn. Het was volgens hen ook beter zo, want ernstige afwijkingen zouden immers het gevolg geweest zijn van het zuurstoftekort. Het waren zij die ons de eerste diagnose "wiegedood" gaven.

Na het korte gesprek werd ons voorzichtig gevraagd of we een autopsie zouden toestaan. Het zou een eventuele andere aandoening aan het licht kunnen brengen. Iets wat voor volgende kinderen van belang kon zijn. We stemden vrijwel onmiddellijk toe, niet zozeer voor volgende kinderen, maar wel om een bijdrage te leveren in het onderzoek naar wiegedood.

We mochten nog naar ons dochtertje toe gaan, maar konden het op dat moment geen van beide. Ik trachtte het mij voor te stellen: een baby'tje dat niet meer lekker warm zou zijn en de oogjes niet zou openen. Haar in mijn armen nemen, wetende dat ik haar voorgoed zou moeten loslaten. Ik weigerde zonder aarzelen. Daarop werden we alleen gelaten.

Hilde had intussen de familie verwittigd. Een voor een kwamen ze in het ziekenhuis toe: mijn ouders, mijn schoonouders en mijn schoonzus. Ik wou geen van allen echt zien. Alleen met mijn vader sprak ik. Ook hem vroeg ik: "Wat nu ?" Hij was immers altijd al een zeer realistisch iemand en hij zou wel raad weten. Zijn antwoord was: "Zorgen voor een ander kindje en opnieuw beginnen." Moest iemand anders mij op dat moment dit gezegd hebben, ik zou het hem of haar nooit vergeven. Van mijn vader accepteerde ik het en achteraf gezien is het ook de oplossing geweest om ons leed te verzachten.

Die avond en de volgende nachten bleven we bij mijn ouders. De volgende dag werd de begrafenis geregeld. Het kon mij niet veel schelen hoe of wat, ze deden maar. Voor mijn man lag het anders, hij wou het als vader zelf beslissen. De begrafenisondernemer was heel correct en bracht alles in orde om Sofie te begraven in onze geboortestreek. Wij wilden haar bewust dicht bij de familie hebben. Mede omdat wij wisten later terug naar die omgeving te verhuizen.

Ik wou zo vlug mogelijk al haar spulletjes wegbergen en we reden dan ook nog dezelfde dag naar huis. We stopten alles met een brok van onmenselijk verdriet in zakken en dozen. Alles werd in haar kamertje gepropt: ongewassen kleertjes, een lege wieg, klaargemaakte flesjes, foto's... Ik wou de volgende dagen niets meer terugvinden dat mij aan haar zou doen terugdenken.

Het contact met mijn moeder vond ik de eerste dagen zeer moeilijk. Ik zag haar huilen en kon dat moeilijk begrijpen. Ze wou mij vaak omhelzen maar het waren die momenten waarop ik vreselijk jaloers op haar werd. Zij kon immers na 25 jaar haar kind nog steeds horen, zien en voelen.

Gelukkig ging dat gevoel snel over want zij is momenteel mijn grootste steun en toeverlaat om zowel over het verleden als de toekomst te praten. Van mijn vader had ik de eerste dagen de meeste steun. Het gaf mij een speciaal gevoel hem te zien huilen, te merken dat ook hij verdrietig was. Dit had ik van hem nooit verwacht. Hij voerde soms lange gesprekken. Op andere momenten kon hij gewoon stilletjes meehuilen. In een van die gesprekken zei hij dat het lichaam van Sofie gestorven was, maar dat hij er niet aan twijfelde dat haar ziel terug in mij zat en daar zou wachten op een nieuwe vrucht. Aan deze woorden heb ik mij vaak recht gehouden en de moed gevonden om naar de toekomst toe te leven.

Sigfried zag de troost van mijn familie. Zijn familie echter vond blijkbaar niet de moed dit medeleven op te brengen. Dit, tesamen met andere onvergetelijke feiten, heeft tot hiertoe een haast onherstelbare kloof met zijn familie teweeggebracht. Naast de leegte om ons dochtertje, was dit een bijkomend verlies dat hard te verduren was.

Onze relatie de eerste dagen na de dood van Sofie was op sommige momenten hopeloos. Sigfried wou de pijn en het verdriet zo vlug mogelijk weg hebben. Hij moest van mij niets meer weten. Hij zou mij niet meer kunnen liefhebben. Mij zien was immers Sofie zien. Hij sprak er dan ook van om alles in de steek te laten en ergens anders, waar niemand hem kende, opnieuw te beginnen. Ik daarentegen wou andere mensen ontmoeten die iets dergelijks hadden meegemaakt. Maar waar vind je die op zo'n moment?

Soms moest ik terugdenken aan mijn droom en bij die gedachte vond ik een magere troost. Als Sofie was waar we samen waren uitgestapt, dan zou ze het goed hebben. Een sfeer zoals daar heerste, zouden wij haar hier op deze wereld nooit kunnen bieden.

Dan was het wachten op de begrafenis. Tijdens die dagen had ik vaak zin om naar Sofie toe te gaan. Mijn armen deden pijn, want ze wilden een baby koesteren. Ik praatte er met Sigfried en met mijn ouders over, maar zij raadden het af om naar Sofie toe te gaan. Ik kon me beter een levendig kindje herinneren dan een levenloos popje. Ik luisterde naar hen, maar ik beklaag het mij nog steeds. Nog altijd denk ik: wat heb ik mijn kindje aangedaan. Ze heeft daar vijf dagen gelegen, op mij gewacht en ik heb haar in de steek gelaten.

Zelf had ik enkel behoefte om binnen te zitten. Sigfried echter moest er tussenuit. Hij ging dan ook één voor één onze vrienden af om het droeve nieuws te melden. Ik trachtte mij vaak de begrafenis voor te stellen. En zag dan de begrafenisondernemer in het zwart gekleed de kerk binnenkomen met een klein wit kistje op de schouder. De dag zelf viel het wel mee. Het was mooi gedaan. De begrafenisondernemer was in het grijs, droeg witte handschoenen en droeg het kistje als een baby in zijn armen.

Er waren vele vrienden, kennissen en collega's aanwezig, wat een hele steun betekende. Ook mijn ouders waren blij als ze een voor hen bekend gezicht hadden gezien. Tot dan had ik nooit beseft hoe belangrijk het is om een begrafenis bij te wonen, als steun en troost voor de nabestaanden.

De priester sprak eenvoudig en gevoelsvol. Hij pretendeerde niet het leven en de dood van Sofie te begrijpen. Hij gaf geen antwoorden op het waarom, maar uitte ook zijn onbegrip. Iedereen keek ons veelzeggend aan, maar haast niemand durfde naar ons toe te komen.

De zon scheen en er werd nadien gezegd dat ze een mooie dag had gehad om begraven te worden. Ik vond het echter vreselijk dat het zonnig was. Op een dag als deze hoorde het volgens mij te regenen.

Er waren een hele hoop kaartjes en brieven. De meesten met een paar woorden als: "Innige deelneming". Een paar anderen met wat meer tekst. Het lezen van de persoonlijk geschreven zinnen, al waren het maar een paar woorden, deed deugd.

De dag na de begrafenis gingen we naar haar grafje. Alle bloemetjes gaven ons een vertederend gevoel en door het zien van de andere kindergraven voelden we ons minder alleen.

Daarna wilden we er een paar dagen tussenuit. We gingen naar Nederland, waar mijn ouders een boot hebben en huurden er een caravan. Mijn vader en moeder gingen met ons mee, niet om ons gezelschap te houden, maar gewoon om er te zijn. We lieten er de stilte over ons heen komen en de wind nam onze gedachten mee over de zee. Ik weet niet of het ons goed heeft gedaan. Vroeg of laat moet je toch naar huis en de harde waarheid onder ogen zien. We hebben wel sommige dingen op een rijtje kunnen zetten en uitgebreid met elkaar kunnen praten.

Voor onze terugkeer hadden we enkele plannen gemaakt. Ik zou zo vlug mogelijk gaan werken, om het even wat. We zouden uitkijken om een huis te kopen. Sigfried nam de beslissing om in een ander politiekorps te gaan werken en we zouden proberen om bij vrienden en familie zo normaal mogelijk te doen, in de hoop overal nog welkom te zijn.

Maar we reden met een klein hartje terug en we voelden ons allebei hopeloos verloren toen we thuis binnenkwamen.

Sigfried ging terug werken en werd daar begripvol opgevangen. Het deed er niet toe hoe laat hij de eerste dagen kwam en hij werd niet verplicht om 's nachts dienst te doen. Een collega had een zevental jaren terug zijn eerste kindje verloren bij de geboorte. Bij hem vonden we veel herkenning. We vonden dat we dan toch wat meer geluk hadden gehad: wij hadden immers ons kindje mogen leren kennen. De collega zijn vrouw was een paar weken voor mij bevallen van een tweede kindje en taktvol vermeden zij gedurende lange tijd dat we met hun zoontje geconfronteerd werden.

Ik deed hele dagen niets. 's Morgens kwam ik uit bed, ging in de zetel zitten, stond af en toe op om in de keuken iets in mijn mond te stoppen en stapte 's avonds van de zetel terug in bed.

Ik was vreselijk bang om buiten te komen, bang om iemand te ontmoeten die naar Sofie zou vragen. Ik ging dan ook naar andere winkels en vermeed het meeste sociaal contact. Als Sigfried mij soms eens kon overhalen om de stad in te gaan, dan liep ik haast met mijn hoofd in de grond. Ik was bang om herkend te worden van die bewuste vrijdag. Een moeder die haar kind verloren had, hoorde immers niet in de stad te kuieren, maar moest thuis zitten en verdriet hebben. Althans, dat was wat ik die dagen dacht. Ik kon het moeilijk aanzien wanneer andere ouders met hun kind op stap waren, vooral wanneer het kind aan het slapen was. Dan had ik steeds de drang om het wakker te schudden.

De buren leefden erg met ons mee. Ze konden met ons praten en, vooral, ze konden luisteren. Een andere, oudere buurvrouw kwam op een dag aankloppen. Ik bestierf het. Wat zou zij nu te zeggen hebben? Ik opende toch maar. Ze zei dat ze eventjes wou zien hoe het met mij was en sprak: "Je bent nu niet meer gelukkig zeker? Hoe kan het leven toch zoiets laten gebeuren?" Haar ogen kwamen vol tranen, ze draaide zich om en ging weer naar huis. Voor mij had ze voldoende gezegd. Meer hebben rouwende ouders de eerste weken zeker niet nodig.

De rest van de straat leek ons te mijden. Op een dag kwam "de non" van het dorp eens lang. Zij zei dat het toch nog maar een klein baby'tje was, waar we niet echt veel herinneringen aan hadden. Een baby'tje dat, als we voldoende hadden gebeden, nu in de hemel zou zijn. We moesten maar een ander kindje kopen en verder niet langer treuren.

Sigfried was nog steeds vastbesloten nooit meer andere kinderen te willen. Nooit zou hij dit verlies nog willen herbeleven. Kinderloos blijven was hiertegen voor hem het beste wapen. Diep in mijn hart wist ik dat dit ons huwelijk stuk zou maken. Mijn moedergevoel had zich tijdens de zwangerschap ontwikkeld en dat begraaf je nu eenmaal niet mee. Het was voor ons een groot punt van discussie.

Tot op een dag onze huisarts langs kwam. Hij had ook een baby'tje los moeten laten en wist dus waarover hij praatte. Hij stelde Sigfried voor om eens na te denken over de keuze: ofwel moet je de rest van je leven pijnlijke, lege momenten doorstaan op dagen zoals verjaardag, Pasen, 1 september, Kerstmis, Sinterklaas... Ofwel doorsta je die momenten, ook met pijn, maar toch verzacht, door ze met andere kinderen te delen. Hijzelf had voor de tweede oplossing gekozen en vond die voor zijn gezin zonder enige twijfel de beste. Hij gaf ons ook het adres van de vereniging SIDS en liet ons weten dat hij steeds bereid was om ons gesprek verder te zetten.

Verder wachtten we passief op de zo vaak beloofde steun. Velen waren bang om naar ons toe te komen omdat ze dachten dat we dan aan het pijnlijke verleden zouden moeten terugdenken. Anderen telefoneerden en zegden dat, als we eens behoefte hadden aan gezelschap, we altijd mochten langskomen. Maar het lag bij geen van beiden in ons karakter om zelf naar medeleven te vragen.

Ik heb wel de neiging om vrienden, kennissen en familieleden te beoordelen naar de reacties die ze hadden na de dood van ons dochtertje. Een zeer goede vriendin belde me op en vroeg of ze eens langs mocht komen. Dat deed ze. Ze praatte eventjes over Sofie, maakte me duidelijk dat ze dood was en nooit meer terug zou komen, sloot het onderwerp af en begon over haar leventje. Een andere vriendin, waar ik een niet zo nauwe band mee had, was daarentegen altijd een en al oor. Telkens als ze mij zag, deed ze de moeite om het over Sofie en onze gevoelens te hebben.

Mijn schoonzus zagen of hoorden we iedere week. Zij was steeds te vinden voor een diepgaand gesprek. Hilde en Jan hebben vaak het initiatief genomen om ons mee uit te nemen. Bij Hilde had ik sterk het gevoel dat ze dacht dat het allemaal mijn eigen fout was. Zij zat er immers bij toen Sofie huilde en ik het belangrijker vond dat mijn eten niet koud werd dan haar te troosten. Ik had in het begin vaak moeite om haar onder ogen te komen, maar zij voelde aan hoe ze me losser kon krijgen. Vertelde ik mijn zorgen niet spontaan, dan stelde ze vragen tot ik mijn hart had gelucht. De brutale, soms ondoordachte opmerkingen kwamen gedurende lange tijd heel hard aan. Je hoopt als je iemand ziet, op een beetje aanmoediging en een beetje begrip. Wanneer die reacties dan helemaal anders uitvallen, weet je niet wat te zeggen. Je blijft vaak achter met een leeg en nog droeviger gevoel dan voorheen. Met de tijd leer je veel te relativeren. Je hebt over sommige dingen kunnen nadenken en vaak heb je korte, gevatte antwoorden bedacht om jezelf te verdedigen.

Om met mezelf terug in het reine te komen, begon ik veel te lezen. Ik zocht naar boeken over wiegedood, getuigenissen van mensen die hetzelfde hadden meegemaakt, reïncarnatie en bijna-dood ervaringen van kinderen. Ik zocht overal naar de mogelijke zin van haar dood of naar een reden waarom het gebeurd was. Tijdens mijn zwangerschap moest mijn oma een zware hartoperatie ondergaan. Voor de operatie had ze aan mijn buik gevoeld, omdat dat zogezegd geluk zou brengen. Haar leven heeft aan een zijden draadje gehangen, maar ze is er doorheen gekomen. De oma van Sigfried moest rond diezelfde periode ook geopereerd worden. Haar had ik niet aan de buik laten voelen en zij is overleden. Toen ons kindje dan stierf, dacht ik dat zij haar leven had geruild voor dat van mijn oma. Ook dacht ik soms dat ze niet gelukkig was met haar naam of dat ik niet lief genoeg voor haar was geweest.

Ik zocht ook een nieuwe weg binnen het geloof. Eerst wou ik er niets meer van weten. Zulke dingen kon een God die zo vereerd werd, toch niet laten gebeuren! Op andere momenten zag ik de engeltjes voor mij en dacht ik: als er engeltjes nodig zijn, moeten ze toch ergens vandaan komen en of het dan mijn kindje was of dat van iemand anders, overal is zoiets even erg. Zo kwam het dat ik uiteindelijk in Sofie begon te geloven. De goede momenten die we na haar dood kenden, daar had zij volgens mij altijd wat mee te maken.

Ik ben ook in contact geweest met een waarzegster die de geesten van overleden mensen kon oproepen. Sommige geesten hadden dan een boodschap voor hun familieleden. Zo zat er die avond een moeder in de zaal die wat wou weten over haar overleden zoontje. Het jongetje kwam in contact met de waarzegster en liet de boodschap overbrengen dat hij gelukkig was, dat hij er zelf voor gekozen had en dat het hem plezier zou doen indien zijn ouders hem meer zouden kunnen loslaten en wat minder verdrietig zijn. Sofie was echter moeilijk te bereiken. Ze was wel te zien, maar had toen niets te zeggen. Ik was uiteraard teleurgesteld.

In september legden we de eerste contacten met de vereniging SIDS. Het was eigenlijk een tegenvaller. Een grote zaal met gedempt licht en trieste achtergrondmuziek. Overal was in het groot het woord WIEGEDOOD aangebracht. We hadden gehoopt lotgenoten te kunnen spreken, maar het was een informatienamiddag waar eerder wetenschappelijke uitleg over wiegedood en near-miss werd gegeven.

Toevallig kwamen we er in contact met de professor die de autopsie had behandeld. Hij had een autopsie-rapport op zijn bureau gekregen met de naam "Ceulemans Sofie". Het adres van de ouders was echter verloren gegaan en dat was de reden waarom we al die tijd nog niets hadden vernomen. Een paar dagen later werden we in het ziekenhuis ontvangen. De vermoedelijke doodsoorzaak werd bevestigd. Sofie was volledig gezond van ons heengegaan. Dit was voor mij een opluchting. Al die tijd had ik mij enorm schuldig gevoeld. Het spookte door mijn hoofd dat ze wel ziek zou geweest zijn en dat ik het niet eens had opgemerkt of dat ik een of andere fatale fout moest hebben gemaakt bij de verzorging van mijn kind. De professor gaf ons het gevoel dat hij alle tijd voor ons had. Onze vragen werden duidelijk beantwoord en we werden uitgebreid ingelicht over de mogelijkheden die ons geboden zouden worden om wiegedood te voorkomen bij volgende kinderen.

De contactnamiddag had ook geleid tot een kennismaking met de provinciaal verantwoordelijke van SIDS. Zo kwamen we in contact met koppels die hetzelfde verdriet deelden. Sigfried stond eerst negatief tegenover de bijeenkomsten, maar ik had die gesprekken nodig. De herkenning en de gedeelde gevoelens gaven mij opnieuw vertrouwen in mezelf.

Binnen onze relatie hadden we zoveel mogelijk respect voor elkaars gevoelens. We lieten elkaar zoveel mogelijk vrij om het op onze eigen manier te verwerken en namen de tijd om uitgebreid te praten. Het was een hele weg die we moesten afleggen. Men moet binnen een verhouding terug van nul beginnen. Ieders eigen persoonlijkheid verandert van de ene dag op de andere en de een weet van de ander niet meer wat nog kan of mag gezegd of gedaan worden.

Sigfried had intussen zijn mening over het hebben van kinderen herzien. Hij wou opnieuw beginnen, op voorwaarde dat we een groot gezin zouden stichten, om zo de kans om terug zonder kinderen te komen, klein te maken.

Ik kreeg een grote angst voor al wat me lief was en wat leefde. Soms lag ik 's nachts wakker, te luisteren of Sigfried nog ademde. Zelfs wanneer de hond sliep, hield ik hem in de gaten.

Na enkele maanden gingen we een grafzerkje kiezen. We wilden er iets moois van maken, hadden een paar ideeën in ons hoofd en de verkoopster hielp ons om een doenbaar resultaat te bekomen. Ik ervaarde het niet als iets droevigs, maar als iets dat goed moest gedaan worden. Het was immers het laatste wat we voor Sofie zouden ondernemen. Haar grafje wordt nog vaak door ons bezocht. In het begin ging ik heel bewust iedere woensdag. Het is Sofies geboortedag en het is ook de dag dat we haar hebben weggedragen. Nadien ging ik wanneer ik er behoefte aan had, behoefte om bij haar te zijn. In gedachten spreek ik dan met haar.

Voor mijn moeder is het het meest gekoesterde plekje op deze wereld. Als zij bij Sofie geweest is, straalt het grafje. Het steentje is dan vlekkeloos wit en de bloemen fleuren het geheel liefdevol op .

Ik herinner mij nog hoe ik bezorgd voor het raam ging staan toen het kort na haar begrafenis begon te regenen. Ik smeekte de regenbuien te stoppen met hun grillen. "Straks wordt mijn kind nog nat!" ging het door me heen.

En dan kwamen de moeilijke dagen, feestdagen voor de buitenwereld. Eerst hadden we Allerheiligen. Van kindsbeen af werd mij gezegd dat je dan niet droevig hoefde te zijn. Het was een feest omdat je eens extra dacht aan de geliefde mensen die heengegaan waren. Ik deed mijn best om die dag met deze instelling tegemoet te gaan.

Een paar dagen voor één november brachten we een bezoek aan het kerkhof. Daar werd mijn aandacht getrokken door een moeder met drie kinderen. Ze waren een kindergrafje aan het opkuisen. De kinderen hadden veel plezier en kibbelden onder elkaar om ieder hun steentje bij te dragen in de opknapbeurt. De jongste droeg de verwelkte bloemen naar de vuilbak. Het meisje schikte de plantjes en een tweede jongetje kwam stoer met een hark aangelopen. Geen van hen zag er droevig uit, zelfs de moeder huilde niet. Ik trachtte me voor te stellen dat dit ooit mijn toekomst zou worden. Maar het nam de pijn die ik toen doorstond niet weg. Het schreeuwde in mij nu reeds, totaal onverwacht, zo dicht bij Allerheiligen betrokken te zijn.

In onze gemeente werd er een mis opgedragen voor alle overledenen van het afgelopen jaar. We wilden liever niet gaan, maar ik moest er niet aan denken dat het kaarsje met haar naam door een vreemde zou gedragen worden. En zo woonden we samen met enkele familieleden de misviering bij. De kerk zat stampvol. De viering begon en de namen werden afgeroepen. Sigfried en ik droegen samen Sofies kaarsje naar het altaar. Het hele tafereel bedaarde onze gemoedstoestand zeker niet. Na de kerkdienst nodigde ik de familie uit op pannekoeken. Zo kwamen we het eerste jaar deze pijnlijke dag door . Nieuwsgierig gingen we nadien naar het grafje en vroegen ons af wie er aan Sofie zou gedacht hebben. De vele bloemen deden ons plezier. De attenties verminderden echter het volgende jaar sterk.

Dan was er Sinterklaas. Met pijn in het hart zag ik de ene reclamefolder na de andere door de brievenbus naar binnen komen. De folders hadden zich vergist: bij ons zouden ze dit jaar niet doorbladerd worden. Jaloers bekeek ik de mensen die in de stad stiekem het leukste speelgoed aan het kopen waren. En met een leeg gevoel ging dan ook zes december aan ons voorbij. Een popje kopen voor op het grafje was het enige wat ik kon doen.

Tot slot volgden dan de eindejaarsfeesten waar je doorheen moet. Kerstmis, het feest van de geboorte van een kind, brachten we alleen door. Dit bleek niet zo'n goed idee. Waar vorig jaar zoveel blijde verwachtingen en wensen werden gemaakt, zaten we nu helemaal alleen. Geen boom, geen pakjes, daar hadden we bewust voor gekozen.

Met nieuwjaar besloten we maar gewoon te doen en de gebruikelijke visites af te leggen. Wat ons enorm opviel, was hoe gewoon de rest van de familie deed. Geen enkele aandacht werd er nog aan ons verdriet besteed. Liedjes werden gezongen en moppen werden verteld maar niemand die informeerde hoe het met ons ging of die de afwezigheid van Sofie durfde ter sprake brengen. Het leek voor iedereen al lang voorbij.

Opnieuw in "blijde" verwachting

Snel waren we weer zwanger. In januari vernamen we het blijde nieuws. We waren heel gelukkig, maar de behoefte om het van de daken te schreeuwen ontbrak. We vertelden het alleen aan de mensen die met ons hadden meegeleefd en verder bleef het gedurende ruime tijd ons geheim.
Na een tijdje bleek dat er een aantal vriendinnen eveneens zwanger waren. Sommigen kwamen het heel voorzichtig vertellen en zij waren opgelucht te vernemen dat ik ook een kindje kreeg.
Ik dankte het noodlot of wat dan ook dat ik in verwachting was, want ik denk niet dat ik het toen al zou aangekund hebben om met lege handen het geluk van anderen aan te zien.

Kort daarop kochten we een huis. Sigfried was blij het verleden achter zich te kunnen laten. Ik zag er echter tegenop om te verhuizen. Het was net of ik Sofie moest achterlaten. Waar we nu woonden, leefde Sofie nog steeds verder. De plaats van haar wiegje, de tafel waarop ze werd verschoond en vooral haar kamertje, herinnerden mij aan haar. Haar spulletjes moesten ingepakt worden en ze zouden een plaatsje krijgen voor de nieuwe baby. Gelukkig gingen we dichter bij haar begraafplaats wonen, dat was voor mij een troost.

Eens we geïnstalleerd waren, viel het gevreesde nogal mee. Geen enkele herinnering vervaagde. Ons geluk, ons verdriet, alles kreeg ook hier zijn plaatsje. Het was in ons huis dat we samen de moed vonden een paar fotootjes van haar in te lijsten en haar op die manier met ons verder te laten leven.

De winter verstreek langzaam, de lente maakte haar intrede en mijn buik werd alsmaar dikker. Ik voelde mij vaak eenzaam tijdens de zwangerschap. Ik had de indruk dat Sigfried zich niet durfde te binden aan het ongeboren kind. De romantiek was grotendeels verdwenen. We dachten aan de zwangerschap vandaag. Soms durfden we even aan de geboorte denken, maar verder zeker niet. Leven met een monitor en een kind dat elk moment kon sterven, was voor ons een groot mysterie. Ik kon niet over de toekomst dromen.

Naarmate het zomer werd, kwam ook de verjaardag van Sofie dichterbij. We keken er allebei tegen op en besloten om die dag samen thuis door te brengen. We zaten die dag vaak zwijgend tegenover elkaar. In gedachten herbeleefden we haar geboorte. Tegen de avond kwam mijn schoonzus op bezoek. Zij had een ruiker rozen voor me meegebracht. Het gebaar deed me plezier maar het choqueerde mij terzelfdertijd.
Mijn moeder telefoneerde. Maar verder bleef het stil in huis. Toch hadden velen aan haar gedacht, want haar grafje prijkte fleurig tussen de anderen uit.
Acht weken later herdachten we de verjaardag van haar overlijden. Een collega van Sigfried nodigde ons uit. We gingen in op zijn invitatie. Het zou toch niets uithalen om thuis de hele dag verdriet te hebben.

Mijn buik was niet meer te verstoppen en vaak vroeg men mij of ik ons eerste kindje verwachtte. In het begin deed ik zonder moeite het hele verhaal, maar dat begon mij uiteindelijk te vervelen. Velen gaven de indruk dat we nu terug gelukkig moesten zijn. Men veronderstelde daarbij dat wij vanzelfsprekend niet meer aan het verleden dachten.
Ik probeerde mij een beetje voor te bereiden door informatie in te winnen

over de monitor en door het volgen van een cursus "reanimatie bij baby's". De cursus werd eveneens bijgewoond door mijn ouders en mijn nicht. Zo kon ons kindje toch al bij enkele mensen terecht.

Ik besloot om al de spulletjes van Sofie voor ons tweede kindje te gebruiken. Met gemengde gevoelens van verdriet en geluk werden alle baby-kleertjes fris gewassen, de kasten op orde gebracht en het bedje gedekt. Verdriet en geluk waren de gevoelens die de hele zwangerschap overheersten. Dat maakte het voor mij extra zwaar. Ik maakte mij dubbel ongerust en was er heel bewust van dat er op elk ogenblik iets verkeerd kon gaan. Het leek ook zo lang te duren, de weken kropen voorbij. Men is immers in "verwachting" van het moment dat men beslist een kind te willen en dat was voor ons intussen al bijna drie jaar geleden. Het was mijn moeder die mij het meeste opving in moeilijke momenten. Zij gaf steeds de indruk dat we onze toekomst zonder zorgen zouden doorkomen.

Naarmate de zwangerschap vorderde, werd ik bang voor de bevalling, bang om kennis te maken met het kind dat al die tijd in mijn buik had gezeten. Ik kon mij heel goed mijn baby voorstellen, maar die voorstelling was Sofie. Ik vreesde er voor geen ander kind graag te kunnen zien.

Dan kwam de dag dat de bevalling werd ingeleid. De bloeddruk was hoog en het kind was voldoende groot. De gynaecoloog had me gerustgesteld. Dat had ze de afgelopen maanden altijd gedaan. Keer na keer werd ik grondig onderzocht en telkens weer gaf ze me de indruk dat ze niets fout zou laten gaan.

Ook deze bevalling kende weer problemen. De ontsluiting verliep heel traag en de baby stelde het alsmaar slechter. De hartslag bleef verminderen en er werd besloten om een keizersnede toe te passen. In minder dan geen tijd stond iedereen voor mij klaar en voor ik het wist werd ons kindje geboren: terug een meisje! Dankzij de epidurale verdoving kon ik alles mee beleven. Het eerste wat ons opviel waren haar ogen: dezelfde diepblauwe kijkers als die van Sofie. Onze dochter stelde het uitstekend. Ze mocht dadelijk bij me blijven. We noemden haar Julie.

Vanaf de eerste minuut was ik verliefd op haar. Haar zo vredig in bedje te zien liggen, was voor ons een groot wonder. Maar van het moment dat ze haar oogjes sloot, overviel ons beiden een gevoel van angst en onze volgende zorg was de monitor. Die moest zo snel mogelijk aangesloten worden.

Het kindje "kochten" we, het vogeltje kregen we erbij.

Dat was de uitleg die ik gaf aan iedereen die de ziekenhuiskamer binnenkwam. Met gefronste wenkbrauwen werd het piepende geluid immers opgemerkt.

Een paar uur na de geboorte had Julie een monitor gekregen. Vanaf dat ogenblik werd ik rustig en durfde ik zelf ook een oogje dicht te doen. De reacties van het verplegend personeel vielen ons wel tegen. Sommige verpleegsters wisten niet eens wat voor een apparaat aan Julies bedje stond. In plaats van steun en uitleg te krijgen, moest ik vooral uitleg geven. Sommigen vonden ons overbezorgd. Een verpleegster kwam adviseren om de monitor niet als noodzakelijk te beschouwen. Ik moest daar maar zo snel mogelijk vanaf zien te geraken. We zouden haar daarmee misschien een jaar kunnen beschermen, maar nadien kon ze nog altijd onder een auto terechtkomen!

De dagen op de kraamafdeling voelde ik me veilig. Julie week niet van mijn zijde en in geval van nood was ik in het ziekenhuis. Maar dan kwam de dag dat we naar huis mochten. Ik was dolgelukkig om op mijn manier voor mijn kindje te kunnen gaan zorgen. Maar thuis zou ik haar niet altijd naast mij kunnen hebben. Het was de eerstvolgende dagen en weken dan ook een hele aanpassing.

Sigfried nam een maand verlof, zodat we samen rustig aan de situatie konden wennen. Julies wiegje was altijd waar wij waren. 's Nachts stond ze tegen ons bed. Elk om beurt deden we boodschappen om zo even aan het "piepje" te ontsnappen. Als Sigfried wegging, zorgde ik ervoor dat ik niet

Ik moet dan ook niet denken aan de dag waarop we zonder monitor verder zullen moeten.

Wanneer ik sirenes of zwaailichten van een ziekenwagen hoor of zie, krijg ik kippevel. Ze kunnen mijn stemming voor de rest van de dag bepalen. Wanneer de klokken van de kerk luiden, krijg ik het heel erg moeilijk. Met kritiek over de opvoeding heb ik het zwaar. Niet omdat ik overtuigd ben dat ik het het beste weet, maar omdat er dan een stemmetje in mijn gedachten fluistert: "Zie je wel dat je het niet goed doet, je bent geen goede moeder. Straks loopt het weer verkeerd."

Gevoelens van woede overvallen mij nog vaak. Waarom mocht mijn kind niet groot worden? Waarom mocht ook zij niet van het leven genieten ?

Men heeft mij in het verleden al vaak proberen te troosten met de woorden: "Ze was toch nog klein. Je hebt niet veel herinneringen. Het is veel erger een groter kind op te moeten geven."

We moeten inderdaad niet veel herinneringen meedragen maar we treuren om zoveel plannen en verwachtingen die we rond ons kind reeds hadden opgebouwd.

Hoe langer het geleden is, hoe meer we met ons verdriet alleen komen te staan. Vele mensen veronderstellen dat onze rouwperiode reeds verstreken is. Er wordt bijgevolg maar weinig met onze situatie rekening gehouden. Wie zal er bijvoorbeeld stil bij staan dat een dag als moederdag voor mij niet zonder tranen voorbijgaat? Ik denk niet dat er ook maar iemand is van de mensen die we kennen, die Sofie vergeten is. Vaak wordt Julie met de naam Sofie aangesproken. Ze schrikken dan meestal van zichzelf en weten niet hoe ze zich moeten verontschuldigen. Mij deert het echter niet. Het doet zelfs deugd haar naam nog eens te horen.

Vaak zit ik Julie te bekijken, met een hart dat overloopt van liefde, en dan denk ik: "Je moest eens weten... Was jouw zusje niet gestorven, dan was jij hier nu niet geweest." Dan stel ik mij de vraag: "Wie had je nu het liefst gehad?" Daarna schud ik mezelf wakker uit mijn gedachten, want dat is uiteraard een keuze die onmogelijk aan een moeder kan voorgelegd worden.

We hebben enkele van onze droevige dagen een tweede keer doorgemaakt. Sofie was hierbij niet minder in onze gedachten dan een jaar voordien. Wel is er nu een bron van vreugde in ons midden. Sinterklaas, Kerstmis en Pasen hebben we al uitgebreid gevierd met de nodige chocola, speelgoed en versieringen. Julie zal er nog weinig van begrepen hebben. Wij hebben er alleszins van genoten.

Momenteel ben ik opnieuw zwanger. Deze keer ben ik veel rustiger. Ik heb minder angst dat het fout zal lopen. De tijd vliegt voorbij. In gesprekken noemt men dit kind meestal ons tweede kind. Voor ons zal het ons derde zijn en blijven.

Door het verleden is onze persoonlijke ingesteldheid erg veranderd. We hechten veel belang aan gezondheid, aan persoonlijke en aan menselijke banden. We genieten van wat we hebben. Het materiële komt voor ons op de tweede plaats. Ik vrees wel dat we onze kinderen zullen overbeschermen. Bij alles kijken we eerst en vooral naar de mogelijke gevaren.

Sofie is nog steeds alle dagen in onze gedachten. Bij alles wat we doen, denken we haar, met pijn in het hart, erbij. We leven opnieuw, al is het zonder het volmaakte geluk. We kunnen lachen en plezier maken en dan ineens: het horen van een lied, het lezen van een tekst, het zien van een film, een bepaalde herinnering of een klein gebaar, maken dat al het verdriet weer terugkomt en dan stromen er tranen.

Ik kan mijn verdriet op heden het best beschrijven met een vergelijking die Manu Keirse heeft gegeven tijdens één van zijn voordrachten: "Verdriet is als je eigen schaduw die je meedraagt. Soms zie je die niet, soms is die klein en licht van kleur en dan plots bij het indraaien van een straat, staat die groot en donker voor je."

Zo is ook mijn verdriet.

Irina

13 - 12 - 1990

13 - 12 - 1990

Vincent

27 - 5 - 1992

25 - 10 - 1992

Mijn kind, ik heb je negen maanden
in mijn schoot gedragen
en tot op deze leeftijd
je verzorgd, grootgebracht en verpleegd.
Ik bid je, mijn kind,
beschouw de hemel en de aarde
met alles wat ze bevatten
en bedenk
dat God dit uit het niets geschapen heeft.
Ik weet niet hoe je in mijn schoot werd gevormd
want niet ik heb je adem en leven geschonken
of het groeien in jou geleid.
Neen, het was de Schepper der wereld.
Hij bewerkt het ontstaan van de mens
zoals Hij van alles de oorsprong is.
In zijn barmhartigheid zal Hij
je eens weer adem en leven schenken...
                    Naar het tweede boek van de Makkabeeën

Ons vredeskindje

Over Irina schrijven is als tasten in het duister. Ik werd zwanger van haar toen Anne-Katrien amper 2 maanden oud was. Ik was niet klaar voor deze zwangerschap en het duurde enige weken eer ik ten volle aanvaard had dat er nog een kindje bij ons geboren mocht worden. Wat me vooral van de eerste maanden van mijn zwangerschap is bijgebleven is het niet willen vertellen aan mijn omgeving dat ons gezin weer zou uitbreiden. Ik stelde ook het bezoek aan de gynaecoloog altijd maar uit, net alsof ik mezelf wilde wijsmaken dat het zo'n vaart niet zou lopen.

Het werd een negen-maanden-tijd zonder al te veel moeilijkheden en toch bekroop me alsmaar het gevoel dat er iets mis was. Ik wilde en durfde ook niets klaarmaken op voorhand. Ik was bang mijn liefde in dit kind te investeren. Ik maakte voorbehoud. Als alles maar goed zou gaan...

Irina was verwacht rond Kerstmis, maar op 12 december brak plots mijn water en moest ik naar het ziekenhuis. De eerste uren met weeën waren draaglijk. Willy supporterde mee en de vroedvrouw was van het kordate type. De harttonen van ons kindje bleven normaal en even na middernacht mocht ik naar de verloskamer.

Vanaf dat ogenblik is alles verkeerd beginnen lopen. Mijn ontsluiting viel dicht en ons kindje keerde zich. Het is te danken aan onze dokter dat ik het uithield. De volgende uren is hij bij mijn bed gebleven, samen met Willy me moed inpompend dat ook dit over zou gaan en als beloning ons kindje er zou zijn...

Irina werd uiteindelijk geboren. Ik kreeg haar op mijn buik en wilde haar intens knuffelen maar... geen reactie, niets.

De navelstreng werd gauw afgebonden, Willy mocht hem nog doorknippen en dan, weg met haar. Ze werd onmiddellijk aan allerlei apparatuur gelegd en wachtend op de kinderarts begonnen ze reeds zuurstof bij te geven. Ik lag daar op mijn bed, te hopen, te bidden dat het goed zou mogen aflopen, maar de geluiden die ik hoorde waren weinig bemoedigend. De harttonen die werden geregistreerd op een monitor dreunden in mijn hoofd. Na drie kwartier waren dat er maar twee meer per minuut. Toen is de kinderarts bij mijn bed komen staan.

Een hulpeloos schouderophalen, een meelevend gelaat. Dit waren zijn woorden: "Ik ben tegen negatieve geneeskunde. Ik kan nog uren doorgaan, maar nu reeds zal ze leven als een plant..."

Irina werd in een dekentje gelegd en toen heb ik haar in mijn armen gekregen, om haar in mijn warmte rustig te laten sterven. Ze was zo mooi, zo sereen. Ze had zo'n lieve glimlach op haar gelaatje. We hebben haar toen de naam Irina gegeven, naar de koningin van de vrede.

Je hand reiken

De eerste uren na het overlijden van onze kleine Irina waren uren van stille verslagenheid. Nadat ik verzorgd en weer naar mijn kamer was gebracht, kwam de vroedvrouw met het glazen bedje aangereden waarin Irina lag opgebaard.

"Wil je haar nog eens zien ?"

Ik wierp een blik op het kindje dat erin lag. Ze was van mij en toch reeds ver weg. Er lagen bloemetjes rond haar hoofdje en ze had een glimlach op haar kleine gelaatje. Zo lief, zo vredig ...

Ik kon alleen maar vragen: "Is Irina al gedoopt ? Ik WIL dat ze gedoopt wordt!"

Alweer een blik vol medeleven: "We zorgen ervoor."

"Asjeblieft, neem Irina mee! Ik wil de herinnering aan een warm hoopje mens bewaren, niet aan een koud lichaam!"

"Wil je dit echt?"

"Ja, ja, asjeblieft!"

Stil, heel stil, zijn Willy en ik bij elkaar gaan liggen. Elkaars hand vasthoudend, zo, zonder woorden bij elkaar steun zoekend.

"Hoe moet het nu verder met ons. We waren zo gelukkig. Hoe kunnen we nu ooit weer gelukkig worden." Zo maalden de gedachten steeds maar weer door mijn hoofd.

"Ik wil niet voelen. Ik wil geen pijn hebben. Ik wil verder leven. Ik heb

Nathalie en Anne-Katrien nog!"

"Maar ik heb verdriet! Mijn kind is dood. Dood voor het de kans kreeg te leven! Waarom, WAAROM?"

Naarmate de uren verstreken, kalmeerden mijn zenuwen. Willy was uiteindelijk wat in slaap gesukkeld. Het werd langzaam licht en aan het rumoer op de gang wist ik dat er weer een bevalling op handen was. Even kwam de vroedvrouw om het hoekje kijken. "Wens die mama maar heel veel geluk", riep ik haar toe. Ze knikte en verdween weer. Wat later hoorde ik dat er een gezond meisje was geboren. Wat fijn voor hen, zo dacht ik.

Het deed pijn, heel echt pijn en toen kwamen de tranen, als een bevrijding. Moeder-zijn, het doet zo'n zeer. Het is zo moeilijk als je kindje juist gestorven is. Je lichaam maakt zich klaar om het wezentje te voeden. Maar dat kleine bundeltje mens ligt daar koud en levenloos in dat glazen bedje. "Irina, klein kindeke, klein lichteke, je ging terug naar de Heer."

Drie dagen ben ik nog in het ziekenhuis gebleven, herstellend van de bevalling, pratend met de verpleging, biddend met de aalmoezenier, verdrietig zijnde met Willy, onze kindjes, onze familie en vrienden. Nathalie is samen met haar papa dikwijls naar Irina gaan kijken, honderduit vragen stellend over het waarom er nu een dood kindje en geen levend kindje was. Nathalie, grote, flinke meid van bijna vijf jaar, hoe bewust ze reeds was. Anne-Katrientje werd in deze dagen weer mijn kleine baby'tje en met haar elf maanden liet ze het zich maar al te graag welgevallen.

Ze was nergens liever dan in mijn armen. Ze zat daar heel stilletjes bij mij op bed. Ze voelde ook wel dat het geen normale dagen waren. De laatste dag dat ik in het ziekenhuis was, hadden we nog een gesprek met de kinderarts. Zijn laatste woorden zullen me altijd bijblijven: "Liesbeth, Willy, ik zal jullie nooit vergeten! Liesbeth, de manier waarop jij je man vastnam en hem zei dat je hem graag zag, zo vlak na Irina's overlijden. Dat heeft me diep geraakt! Blijf verbonden met elkaar, zoals jullie nu zijn. Moge het jullie goed gaan."

Diezelfde dag hebben we in een viering voor Irina gebeden. We hebben haar doopkaars aangestoken als symbool van haar leven bij de Heer. We poogden met het licht van haar kaars een beetje licht in ons hart te brengen. We hebben Irina niet mee naar het kerkhof gebracht. We kozen ervoor om het bij de viering in het ziekenhuis te houden.

Ik herinner me nog wel dat het voor ons Nathalietje heel belangrijk was dat al de tekeningen die ze in de voorbije dagen had gemaakt mee in Irina's kistje moesten, tot zelfs de laatste toe. Het deed ons goed dat ook hiervoor heel veel begrip werd getoond.

Gesterkt door zoveel steun van de mensen in het ziekenhuis en familie en vrienden om ons heen, kwam ik die zaterdag thuis. Het was er als altijd en toch anders. De doopkaars, de bloemen, de kaarten... alles herinnerde aan kleine Irina.

Nooit had haar stemmetje ons huis verwarmd, nooit had ik een pampertje voor haar moeten verversen, nooit een kleertje gewassen en toch... Toch voelden we haar aanwezigheid, toch was ze daar.

Dagenlang voelde ik haar wezenlijk bij mij. Dagenlang voelde ik me bewust van haar troost, haar kracht. Noëlla verwoordde het voor mij als volgt:

... Bij jullie in je huis
leefde ze reeds volop mee.
Je voelde een onzichtbare aanwezigheid
wanneer je als bezoeker kwam
en mocht vertoeven in jullie gezin.

Ze was er, je lieve kleine meid
en ze is er niet voor niets geweest.
Ze blijft een deel van het geheim
van jullie stille bewogenheid.

Je vertrouwde je schat toe aan de Aarde
in Gods liefdevolle omarming.
Hij beloofde jullie haar nabijheid
niet ver van de Zijne
op de gevoeligste plek van ons leven,
ons hart, dat ondertussen verder klopt
voor velen...

Ons hart dat ondertussen verder klopt voor velen... heel bijzonder voor Martien. Martien, zo jong, zo'n lieve mama voor Dennis en Manon. Het was een zware slag te horen dat ze nog slechts twee maanden te leven had. Martien, ze was nog zo vol goede moed. Ze had zoveel vragen. Ik herinner me dat ik in 't begin heel schuchter met haar op weg ging. Zachtjes wandelend over wegen van koetjes en kalfjes, om na een hele korte tijd over heel diepe dingen te durven praten. We zaten met zoveel levensvragen. Het mysterie van leven en dood probeerden we te doorgronden. Het deed me pijn omdat ik daarmee telkens weer over Irina moest nadenken, over mijn manier van verwerken. Naarmate de weken vorderden, kregen Martien en ik zo'n innig contact. De dingen waarover we praatten, waren nooit bespreekbaar geweest als ik me niet heel bewust had opengesteld voor haar.

Een van de merkwaardigste dingen die ik met haar mocht meemaken, was een avond, twee dagen voor haar dood. Met Martiens meest nabije vrienden hebben we heel de avond jeugdherinneringen opgehaald. Martien - soms naar adem happend, ze kreeg reeds extra zuurstof - vertelde met vreugde op haar gelaat over alles wat haar had beziggehouden, over de dingen die ze had volbracht en waar ze fier op was, over het gelukkigste jaar in haar leven met Walter, over de fouten die ze maakte en waarover ze spijt had. Met een gelouterd hart, waarin vreugde en verdriet mooi in balans waren gebracht, kon ze afscheid van ons nemen. Voor ieder apart had ze een woord, een gebaar, een opdracht.
Op het einde van die avond zei ze nog: "Als ik er morgen nog ben, kun je dan nog eens komen ?" We konden haar antwoorden: "Als je er morgen nog bent, dan zijn we paraat."

Martien is heel mooi overgegaan en haar mooiste geschenk was dat ze ons vroeg bij haar te zijn aan haar sterfbed. Haar laatste woorden golden kleine Irina: "Liesbeth, blijf positief denken, ik ga Irina zoeken."
De volgende dag sneeuwde het. Dennis, Martiens zoontje van zes riep uit: "Kijk, kijk, de engeltjes dansen op de wolken !"
Ze had hem het verhaal van de engelen in de hemel verteld. Ze had hem toen, op het einde van haar aardse leven, reeds willen geruststellen dat leven oneindig is, dat sterven slechts overgaan is naar het leven bij die ene grote

liefhebbende God.

Zoals ik mijn hand heb durven reiken naar haar doorheen mijn verdriet om het gemis van onze kleine Irina, zo reikte Martien over de grens van de dood heen haar hand om ons te tonen dat alles uiteindelijk zijn voltooiing krijgt, dat alles zin heeft, ook pijn, ook leegte, ook verdriet.

Ik heb Irina, ons vredeskindje bij haar kunnen laten. Ze danst met mama Martien op de wolken en heel soms - wanneer het sneeuwt - is het alsof ze wil knipogen naar haar mama op aarde. 't Is alsof ze wil zeggen: "Laat me nu maar een engeltje in de hemel zijn. Ik zal jullie dragen. Ik zal jullie licht zenden als het donker wordt."

Weer hoop op nieuw leven ...

Uren werden dagen, dagen werden weken, weken gingen over in maanden. Langzaam kreeg ons gezinnetje zijn evenwicht terug. We besloten op vakantie naar de bergen te gaan. Het is daar, tussen het groen van de wijnranken, de geur van zoete druiven en de wijdsheid van de bergen, dat we genazen. Lange tochten wisselden af met zonnige middagen aan een koel zwembad. Onze meisjes waren vrolijk en speels. Willy en ik vonden elkaar in liefde. We konden weer genieten van ons gezin van vier. We zagen weer toekomst. We wilden nog een kindje. Zou het mogen?

Ik durfde het alvast aan. Waarom zou het nog een keer mislopen? Willy was bang. Hij was vooral bang mij te verliezen. Ik probeerde in zijn gevoelens in te komen. Ik begreep hem wel. De bevalling was niet gemakkelijk geweest. We keken uit naar die nieuwe zwangerschap. Het zou goed lopen. Het MOEST goed lopen!

Het was als een wonder hoe snel toen alles verliep. In oktober kon de dokter me bevestigen dat er nieuw leven in mij groeide. Ik was zo blij, zo innig gelukkig. Ons gouden boeleke, het groeide in mij. Toen kwam de angst. Is dit kind gezond? Waar ben ik aan begonnen? En dan... een bloeding, opname in het ziekenhuis. Ik was amper drie maanden zwanger.

"Willy, als dit verkeerd afloopt, ik mag toch nog eens opnieuw proberen, alsjeblieft?"

Hij keek me alleen maar aan. Hij was bang, niet bang voor het kindje, wel voor mij. Mij mocht niets overkomen... Onze baby bleef goed geborgen. De bloeding stopte en na enkele weken rust mocht ik weer aan het werk. Ik voelde me niet goed, maar ik wilde volhouden.

En dan werd ook Ingrid zwanger. Een blije periode brak aan. We konden samen praten over onze bolle buiken, over bewegende kindjes, over babykleertjes... Ingrid voelde zich ongerust. Haar kindje bewoog niet zoveel. Ze moest veel rusten.

Ikzelf moest voor een grondig onderzoek naar het academisch ziekenhuis. Daar zouden ze weten of ons kindje niet dezelfde afwijking had als Irina - Irina had geen middenrif. Met enorme spanning en angst zijn we die dag naar het ziekenhuis getrokken. Wat als er iets fout was? Hoe moesten we dan verder?

En toen schitterde een ster aan de hemel. Het kindje was normaal. Alles, alles was goed. We zouden een gezonde jongen krijgen!

Ik weet nog goed dat we toen in de cafetaria een schuimende trappist hebben gedronken. We hebben geklonken op onze nog ongeboren zoon. Deze kliniek, deze dokters, deze apparatuur, geweldig wat ze er allemaal op hadden kunnen zien.

Thuisgekomen konden we het niet verzwijgen dat onze twee meisjes een broer zouden krijgen, een gezonde broer!

Er was blijheid. Er was euforie. Er was overvloed aan goeie dingen die dag.

Ik bleef sukkelen met verkoudheden en bronchitis, maar ik hield vol. En toen werd het mei, 15 mei. Weer een donkere, zwarte dag.

Ik was op mijn werk en een gevoel van onheil bekroop me meer en meer. Zo'n gevoel van "Er hangt iets boven mijn hoofd. Alles is nu goed, maar hoelang nog? Er is iets mis, maar wat?"

Ik behield dit gevoel de hele dag, was blij dat ik uiteindelijk naar huis kon.

119

Misschien kon ik thuis ontspannen.

Nathalie deed de deur open: "Mama, er is iets gebeurd, maar ik mag het niet zeggen!"

Wrevel van mijn kant, angst is ineens dichtbij. Ik vind Willy in de tuin. Hij draait zich om naar mij. Hij heeft de tranen nog in zijn ogen. Ik verkil. Ik wacht af.

"Liesbeth," zegt hij en neemt mijn handen vast. "Liesbeth, Ingrid is dood. Ze is doodgebloed na de bevalling."

"Nee, nee, dat kan niet. Willy, zeg dat het niet waar is. Willy toe..."

"Liesbeth, het is waar. Gisteren is ze met weeën naar het ziekenhuis gegaan. Vannacht is haar kindje geboren maar 't was te vroeg. Het is gestorven en Ingrid is blijven bloeden. Vanmiddag is ze gestorven."

"Nee, nee, ik geloof het niet. Het kan niet waar zijn!"

Ik rende naar binnen, pakte de telefoon en heb wel een uur gebeld met Jos, Ingrids man.

Het was waar. Het was maar al te waar. Ingrid was niet meer. Ingrid was dood. Ik voelde me koud, kil, werd als ijs. Ik voelde me suf. Ik wilde niet geloven. Ik kon niet geloven!

We hebben mijn ouders gevraagd om onze kindjes op te vangen en zijn naar het ziekenhuis gegaan. En daar lag Ingrid, koud, grauw, bleek, heel stil, heel doods. Je zag aan haar hoe erg haar laatste uren waren geweest.

Ingrid ten grave dragen was anders dan Martien loslaten. Ik kon het niet aanvaarden. Haar overlijden was zo onverwacht, zo onherroepelijk, zo wreed.

Met Jos over haar kunnen praten, het deed pijn, het brak mijn hart. Hem een hand reiken was veel moeilijker dan Martien vasthouden. Hier was geen aanvaarding. Hier was geen voltooiing.

Hoe breekbaar is een levensdraad, hoe ondoorgrondelijk zijn Gods wegen.

Hoop bracht het bewegende kindje in mijn buik, ons gouden boeleke, in deze dagen zo vol leven, zo vol kracht.

Vincent

Ik was op mijn werk toen de weeën me plots in alle hevigheid en zonder onderbreking overvielen. Ik sloeg dubbel achter mijn schrijfmachine en als verlamd zat ik daar.

"Dit kan niet waar zijn", schoot er door mijn hoofd. "Pillen genomen - heel braaf - om zeker een vroeggeboorte tegen te houden en toch een maand te vroeg."

Paniek trok door me heen. "Hij ligt stuit. Hij mag niet geboren worden... 't Moet een keizersnede worden."

Ik strompelde zo goed en zo kwaad dat kon met zulke hevige weeën naar Fons, hoorde mezelf om geld en een taxi vragen.

Bedrijvigheid om me heen. Ik probeerde mijn weeën op te vangen. 't Werd alsmaar erger. Ambulance, ze namen me niet mee. 'k Moest wachten op een klinimobiel. Ik werd alsmaar wanhopiger, kon de weeën niet de baas. Ik was bang, doodsbang: "Als er maar niets met dit kind gebeurt. Irina is dood. Dit kind moet leven!"

Eindelijk onderweg, hijgen, puffen, infuus, ik weet het allemaal niet meer zo goed. Een vreemde kliniek, vreemde gynaecoloog, vreemde gezichten. Ik was erg in paniek. Ik kon niet meewerken, was bang, doodsbang. Mijn kind moest leven, als het nu maar een middenrif had: "Dokter, ik ben bang, bang!"

Ik riep het uit, van pijn, van angst. Er kon zoveel misgaan.

Vincent werd even na elven geboren. Hij was er en toch was hij er al niet meer. Geen teken van leven. Een warm hoopje mens, roerloos, levenloos. Reanimatie, bedrijvigheid, korte, krachtige bevelen, hartmassage, beademing, wat weet ik al meer. Vaag hoorde ik alles. Ondertussen voelde ik een verlammende stilte in mij: "Voor niets, weer voor niets. Ik wil niet meer, nooit meer..."

En dan zie ik Willy eindelijk de verloskamer binnen rennen: "Willy, nooit meer, nooit meer! Het is niet goed met ons zoontje!"

Op dat moment de dokter: "Hernia diafragmatica, gat in het middenrif."

Dus toch weer een afwijking en dan al dat zuurstoftekort, hopeloos!

Minuten gingen voorbij. Het leken wel uren. Vincent werd in een transport-couveuse gelegd en overgebracht naar een speciaal kinderziekenhuis. Afwachten was de boodschap.

Ondertussen werd ik verzorgd, weggereden uit de verloskamer. We waren alleen. Willy en ik, verslagen, wisten niet wat zeggen en verwachtten elk ogenblik dat ze ons zouden komen zeggen dat Vincent gestorven was.

"Voor niets, voor niets", zo ging het de hele tijd door me heen. Kon ik dan geen gezonde kinderen meer krijgen?

Ik had weer gefaald, de tweede keer.

Uren gingen voorbij. Willy was bij Vincent. Ik lag alleen in mijn kamer en wachtte. Gevoelens van hoop, van wanhoop, van ongeloof ook.

Hoe was zoiets mogelijk! Maanden had ik mezelf ontzien. Ik was binnenste buiten gedraaid. Ik was zelfs naar het academisch ziekenhuis geweest. Wel honderd keer hadden ze ons verzekerd van het feit dat het deze maal goed zou gaan.

Die eerste dag met weer een platte buik heb ik veel aan Irina gedacht. Hoe ze stilletjes in mijn armen was gestorven, zo vlak na haar geboorte. Moegestreden, na drie kwartier reanimatie die niets hielp, hoe haar hartje nog maar twee keer per minuut sloeg, hoe de pijn van het verlies me van mijn adem benam en hoe ik Willy had vastgenomen: "Ik zie je graag ..."

Als een film speelde die dertiende december zich weer in mijn hoofd af: "Irina, klein warm mensje, levenloos in mijn armen, later netjes opgebaard in een glazen bedje met bloemen rond haar hoofdje en een tekening van ons Nathalie. Nog later een klein grafje, als eerste van een nieuwe rij kindjes."

Ik voelde me ziek, niet alleen van de bevalling, maar ook ziek van angst. "Ik wil niet weer een rouwproces doormaken. Ik wil leven, blij, gelukkig zijn! Waarom dan dit alles?"

De telefoon die dwingend rinkelde: het kinderziekenhuis!

"Uw man is reeds naar huis. Kunt u de toestemming geven voor een dringende operatie?"

Een hele uitleg wat ze zouden willen doen. Is er dan toch hoop?

"Ja," werd er gezegd, "We willen alles proberen wat in onze macht ligt."

Dankbaarheid doorstroomde mij. Ik zag weer even licht. Toestemming kregen ze dan ook onmiddellijk. De operatie duurde uren. Vincent overleefde ze, zij het op het randje.

Wat een mooie kraamtijd met een 'gouden boeleke' had moeten worden, werd een periode van angst: met angst ging ik slapen, met angst werd ik ook weer wakker. Willy was optimistisch. Hij geloofde in ons zoontje. Ik daarentegen kon niet aannemen dat Vincent het ooit zou overleven. Toen ik eindelijk genoeg op mijn positieven was, kon ik Vincent gaan bezoeken. De rit met de auto, het stappen door de lange gang, het aantrekken van die speciale schorten en pantoffels, het vervulde me met angst. Wat zou ik te zien krijgen achter die deur? Ik klampte me als het ware vast aan Willy. En toen ik dan eindelijk bij Vincent stond, kon ik geen woord over mijn lippen krijgen. Ik durfde hem niet aanraken, laat staan knuffelen.

Een lichaampje temidden van darmen, tubes, draden. De couveuse leek meer een machinekamer.

"Kijk, Liesbeth, de cijfertjes en de metertjes blijven mooi stabiel. De beademing staat op 48. Dat is heel normaal voor een kindje dat zulk een zware operatie heeft meegemaakt."

Krista kwam erbij staan, gaf me een stoel en vroeg of ik hem niet wilde vastnemen. Ik durfde niet, was bang dat ik door een verkeerde beweging de beademing zou uittrekken en Vincent pijn zou doen. Ze stelde me gerust: "Ik blijf erbij staan..."

Ik kan mijn gevoelens van dat eerste intense moment met Vincent in mijn armen niet beschrijven. Hij was zo klein, zo nietig, zo hulpeloos en ook zo lief. Ik wilde van hem houden, in hem geloven en toch, ik wilde me niet helemaal geven, was bang me te gaan hechten aan Vincent. Ik had geen vertrouwen in zijn leven. Vincent was teveel afhankelijk van al die machines. Helemaal in de war heb ik Vincent teruggelegd en ben nog minutenlang blijven staan.

"Vincent, jongen, ik wil hier niet aan ten onder gaan. Ik kan niet geloven dat je dit allemaal overleeft."

Hoe graag ik hem ook had, toch zette ik als het ware een schild om me heen. Me ten volle aan hem geven was er in de eerste periode niet bij. Ik sprak mijn vrees ook uit aan Krista. Ze luisterde stil, kon alleen maar zeggen dat we moesten afwachten.

Het werd ook afwachten. Eerst hoe hij de operatie overleefde, een paar dagen later toen hij dringend een wisseltransfusie moest hebben, nog later toen hij de ene zware infectie na de andere kreeg...

De laatste dagen in de kraamkliniek waren dagen van veel droefheid. Ik hoorde op de gang de "gelukkige mama's" met hun "wolken van baby's" en lag daar weer heel alleen.

Telkens de telefoon rinkelde, stond als het ware mijn hart stil. Steeds weer verwachtte ik Vincents overlijden. Het moment dat Willy dan uiteindelijk naar het gemeentehuis ging om ons zoontje aan te geven, betekende heel veel voor mij. Het was echt een geboorteaangifte en niet tegelijkertijd een overlijden zoals bij onze kleine Irina. En al bleef Vincent in leven, toch kon ik Willy's optimisme van die periode niet delen: "Je moet geduldig zijn, Liesbeth. Het komt allemaal wel goed."

Zo sprak Willy me meermaals per dag moed in. De nachten waren het ergste. Alleen liggen dubben en denken, het was echt donker in mijn hart toen.

Langzaam werd het tijd om naar huis te gaan. Ik was bang om weer in de dagelijkse routine van het leven te moeten stappen, dacht het nooit meer aan te kunnen. Toen Willy me echter op die dinsdagmiddag thuisbracht, viel het allemaal nogal mee. Met ons vieren hebben we getracht om samen te genieten van het avondeten. Willy's complimentje: "Liesbeth, zoals jij dat in een paar ogenblikken gezellig weet te maken, vervult me met trots, maakt me enorm blij," verraste me en is dagenlang blijven nazinderen.

De bevalling had me enorm verzwakt. Slechts langzaam raakte ik gewoon aan het dagelijkse leven met daarbij de bezoeken aan het ziekenhuis. Willy was weer aan het werk, Nathalie op school en Anne-Katrien in de peutertuin. Ikzelf liep soms urenlang op straat, voelde me echt op "de dool". Wanneer ik moe was, zocht ik wel een gelegenheid waar ik de zoveelste kop koffie dronk en wanneer ik op straat mensen tegenkwam die ik kende, dan moest ik daar mijn/ons verhaal aan kwijt. Steeds weer echter voelde ik me niet begrepen. Iedereen, ook Willy, geloofde in de goede afloop. Vincent zou het wel halen. We moesten alleen maar geduldig zijn. Een uitspraak die ik veel deed was "Ik zal maar weer gerust kunnen leven als hij dood is. Ik geloof niet dat hij dit kan overleven."

De gebeurtenissen in het ziekenhuis deden vermoeden dat het allemaal niet zo eenvoudig was als men mij wilde voorstellen. Vincent raakte na de vooropgestelde tien dagen niet van de beademing af. Verscheidene medicijnen werden uitgeprobeerd, maar er waren geen zichtbare resultaten. Vincent bleef een klein hoopje mens, volledig afhankelijk van al die machines. Dag in, dag uit, die angst bij het wakker worden, gespannen in bed blijven liggen wachten tot Willy gebeld had en wist te vertellen wat de toestand van dat ogenblik was. 's Avonds voor het slapengaan, nog een laatste keer bellen voor wat uitslagen en steevast eindigen met "Geef hem een aai over zijn bolleke van zijn mama..."

Langzamerhand werd duidelijk dat het door Vincents neurologische toestand kwam dat hij niet evolueerde zoals men verwacht had. Een CT-scan wees uit dat de linker hersenhelft beschadigd was geraakt door het zuurstoftekort bij de geboorte.
Ondanks deze wetenschap betekende het feit dat Vincent leefde, enorm veel. We konden nog hopen. Voorbij zou het alleen maar zijn als hij zou sterven. Vooral Willy bleef altijd optimistisch. Hij was er rotsvast van overtuigd dat Vincent het uiteindelijk wel zou halen. Ik hoor hem nog dikwijls zeggen: "Kijk maar, Liesbeth, de waarden op de monitors blijven goed. Geloof er toch in!"
Dag in, dag uit zag ik hem staan supporteren bij Vincent: "Kom op 'mateke', vooruit, je moet leven!"
Soms voelde ik een steek van jaloezie. Waarom kon ik niet zo positief zijn. Waarom bleef ik zo in de put zitten?
De enige die me goed begreep was May, Vincents meter. Aan haar kon ik mijn twijfels kwijt. Bij haar vond ik gehoor. Zij was het die mijn zorgen beaamde, ze volledig met me deelde. Ik voelde me heel blij toen ik haar op een dag eindelijk mee mocht nemen tot bij Vincent. De manier waarop ze onze kleine jongen goeiedag zei, vervulde me met warmte. Het was goed dat zij zijn meter was.

Mijn zelfbehoud is pas echt goed tot uiting gekomen toen Vincent de tweede maal geopereerd moest worden. Op dat ogenblik zou ik met mijn hoofd tegen de muur hebben kunnen lopen. Zo kon het niet doorgaan.

Niemand had iets aan een moeder die wegzakte in een depressie. Omdat ik niet kon geloven in de klassieke behandeling met anti-depressiva, zochten we het in de alternatieve dingen. De Bachbloempjes haalden bij mij zo'n goed resultaat dat we het aangedurfd hebben om de dokter die Vincent behandelde te vragen ons toe te laten ook Vincent deze bloemetjes te mogen geven. En al mochten de druppels niet in zijn mondje, zijn polsje en lipjes mochten ermee bevochtigd worden. We kregen zelfs goede medewerking van de verpleging die zich bereid verklaarde om de druppels regelmatig te geven. Op zich was dit een hele overwinning!

Vincent kwam deze operatie heel goed door, maar van de beademing raakte hij niet af. Telkens de dokters besloten de beademing af te bouwen, deed Vincent zo'n erge terugval, dat de schrik hem te moeten verliezen er flink in bleef zitten.

Toch mochten we eind juni voor de eerste maal meemaken dat Vincent onder het "koepeltje" lag. Weg met de tube. Eindelijk dat mondje bevrijd van al die draden en darmen! Een stapje in de goeie richting. Hij was een stukje dichterbij en toch veraf, want omdat hij onder dat zuurstoftentje lag, konden we hem niet knuffelen.

Drie dagen heeft de euforie geduurd. Toen kregen we telefoon van het ziekenhuis: "We hebben Vincent terug moeten intuberen. Hij kreeg het wat moeilijk..." Grote verslagenheid. Daar ging onze roze droom. Vincent in onze teleurstelling graag blijven zien, was een hele opdracht. We maakten ons enorme zorgen om zijn welzijn, maar vooral ik bouwde eens te meer een schild van zelfbehoud om me heen. Ik wilde me nog altijd niet ten volle aan hem hechten uit angst hem te verliezen en daardoor zelf weer door die hel van leegte en gemis te moeten gaan. Het was een periode van afstand nemen. Soms vroeg ik me af wat ik daar aan die couveuse stond te doen. Mijn geloof in zijn leven kreeg andermaal een flinke knauw.

Het is toen dat ook ons Anne-Katrientje op intensieve zorgen in het ziekenhuis geraakte na een ongeluk met heet badwater. Onze aandacht moest nu verdeeld worden over twee ziekenhuizen. Deze drie weken waren er van niet meer weten of je vooraan of achteraan leefde. Je was altijd onderweg. Je maakte je zorgen, je sliep niet meer.

De ene dag was Vincent wat beter en ons Anne-Katrientje weer niet goed, de volgende was Vincent weer slecht en maakte Anne-Katrientje vorderingen. Tussendoor moest ik ook nog aandacht aan Nathalie geven, onze grootste, onze flinkste, maar ook onze meest opzij gezette dochter. Ze moest constant door anderen opgevangen worden omdat ik nooit op tijd thuis kon zijn voor haar. Ik was uren onderweg. Nathalie mocht ook niet bij Vincent en Anne-Katrien. Het was gewoon frustrerend.

Op een dag kreeg Vincent een heel zware infectie van het catheter dat in een ader was geschoven. Men vreesde in het ziekenhuis voor zijn leven. Het is die dag dat ik aan Krista de vraag stelde of hij reeds gedoopt was.

Ik had verwacht dat hij al een "nooddoop" had gekregen, maar haar antwoord was negatief. Er bekroop me een onaangenaam gevoel. Vincent leefde nu lang genoeg om ook gedoopt te zijn. Kon dit dan niet geregeld worden?

Nog diezelfde dag nam ik het doopkleedje van ons Anne-Katrientje mee naar het ziekenhuis en gaf het aan Krista. Vincent daar zo ziekjes te zien liggen, maakte dat ik toen voor de zoveelste maal bij haar stond te huilen. "Krista, ik geloof niet in Vincents leven. Hij gaat niet vooruit, doet alleen maar stappen achteruit. Krista, houd dit doopkleedje dicht bij Vincent en als... als hij sterven moest, wil je het hem dan alsjeblieft aandoen? Ik heb dit kleedje helemaal zelf gemaakt. Het is een stukje van mezelf dat ik dan bij hem kan houden."

Krista suste me niet, zei niet dat het allemaal wel los zou lopen. Ze bevestigde mijn angst. Ze bevestigde mijn verlangen en zei dat ze er zorg voor zou dragen dat alles gebeuren zou zoals ik het verlangde. Ik voelde me lichter achteraf. Er was buiten Vincents meter toch nog iemand die mijn gevoelens niet opzij zette met een antwoord als "Och, het komt allemaal wel goed". Ik wist dat het NIET goed was met Vincent. Ik wist ook dat hij bijna constant aan de rand van de dood leefde.

Het heeft heel wat van mijn overredingskracht gevraagd om Willy zover te krijgen dat ook hij instemde met een "officiële doop". Het was Willy's droom om wanneer Vincent thuis zou komen hem bij wijze van welkom groots te laten dopen in de kerk.

Van deze droom afscheid nemen was niet gemakkelijk voor mijn man. Toen Anne-Katrientje dan thuis was en Vincent een beetje beter, hebben we hem op 21 juli laten dopen door onze parochiepriester. Het was heel sober en toch heel fijn daar op die intensieve afdeling van de kleintjes. Krista had Vincent in zijn doopkleedje getooid en zijn darmen en buisjes zoveel mogelijk verdoezeld.

Ik voelde me heel fier toen ik Vincent mocht vasthouden bij zijn doopsel en was blij met de bloemen en het licht van de kaars die werden vastgehouden door zijn meter en peter.

Die dag maakte het voor mij niet meer uit of Vincent zou overleven. Welke weg hij zou uitgaan was niet belangrijk meer. Hij kreeg het Licht van de Heer bij hem en de zuiverheid van het water. Hem het sacrament van het doopsel geven, betekende voor mij hem uit handen geven, erop vertrouwen dat de dingen die nog op zijn en onze weg liggen, alleen maar juist kunnen zijn.

Ik voelde me gezegend die dag en dat gevoel is nog lang bij mij gebleven. Symbool voor zijn doopsel naar onze familie en vrienden toe was een witte kaars met suikerbonen. We vroegen iedereen de kaars te willen branden voor Vincent. Was het niet om hem aan deze kant van het leven te houden, dan was het om hem gemakkelijk en zonder pijn te laten overgaan. Nogmaals, vertrouwen was het enige wat toen in ons hart leefde.

Intussen hadden we een vrouw leren kennen waarvan men beweerde dat zij vanop afstand kracht en energie kon geven. Iemand die over een gave beschikte die mijn petje te boven ging. Heel sceptisch volgde ik de volgende dagen de vorderingen van Vincent.

In 't ziekenhuis had men alles reeds geprobeerd, alle soorten medicijnen die werkten op de ademhaling, geen enkele had resultaat geboekt.

En nu, op vier dagen tijd - ik kon mijn ogen niet geloven - raakte Vincent van de beademingsmachine af en kwam hij terug te liggen onder een zuurstoftentje. Met een bang en ongelovig hart stond ik bij hem. Zou het lukken? Ik maakte me geen illusies.

We hielden dagelijks contact met Mieke. Ze steunde ons, gaf ons moed en zei dat Vincent zeker thuis zou komen. Hoe rationeel ik ook in mijn denken mocht zijn, hoe sceptisch ik ook stond tegenover deze "afstandsbehandeling", het resultaat was er!

Ook de dokters en de verpleging waren blij. Ze begrepen weliswaar de ommekeer niet. Zolang het aan mij lag, hadden ze er ook het raden naar.

Augustus begon heel fleurig. We waagden het met onze andere kinderen enkele uitstapjes te maken, maar het grootste deel van onze tijd brachten we in het ziekenhuis door. Ik kon Vincent nu wassen en knuffelen naar hartelust, want ook de zuurstoftent verdween in de kast en hij kwam toe met de normale portie lucht die iedereen inademde.

De mooiste dag uit deze maand was de zaterdag dat we met Nathalie en Anne-Katrien naar de zee gingen. We genoten van de zon, het water, de regen, het vissen, kortom we waren uitgelaten want aan Vincents bedje hing het volgende briefje: "Mijn familie is vandaag aan zee en binnenkort mag ik mee!"

En toen veranderde de kleur van zijn huid van mooi roze naar geel. Het wit van zijn ogen werd vaalgeel en zijn papjes moest hij niet meer hebben. Ik vroeg aan de dokters wat dit weer te betekenen had.

"Een virale infectie. Vincent zal deze zelf moeten overwinnen", werd ons vaag gezegd.

Ik geloofde het niet. Ik was kwaad. Hoe was dit nu toch mogelijk. Stopte die ellende nooit voor dit kind?

Vincent werd met de dag zieker. We contacteerden Mieke en ze vertelde ons dat het iets met de lever te maken had, maar dat ze niet meer kon doen dan kracht en energie doorgeven. Verder kon ze niet helpen.

Enkele dagen gingen voorbij en plotseling was er grote paniek op de neonatale afdeling waar Vincent lag. Hij moest onmiddellijk in afzondering. De "virale infectie" was dodelijk voor de kleintjes - maar niet voor hem - werd ons op een "geruststellende" toon gezegd. We kregen geen verdere informatie meer. We werden met een kluitje in het riet gestuurd.

Ik was razend, maar tegelijkertijd doodsbenauwd. Ik voelde Vincent achteruit gaan. Er zou iets moeten gebeuren want anders zou het helemaal de verkeerde weg met hem opgaan. Op dit moment verliet mijn vertrouwen in de klassieke geneeskunde me volledig. In wat een miserie hadden ze ons en kleine Vincent toch meegetrokken!

Het is op zo'n moment, wanneer de nood het hoogst is, dat je de juiste mensen tegen het lijf loopt. Guido pendelde en hij had al opmerkelijke resultaten bekomen bij zieke mensen. We vroegen hem om ook Vincent na te kijken. Hij kwam onmiddellijk na ons telefoontje.

Het resultaat van die eerste keer was weinig bemoedigend. Vincent was stervende en alleen wanneer we erin slaagden hem de nodige medicijnen te geven, zou hij een goede kans maken om erdoor te komen.

De eerste dagen gaven we de homeopatische druppeltjes terwijl de dokters er geen weet van hadden. Omdat we niet regelmatig genoeg bij hem konden en mochten zijn, was er nauwelijks verbetering. Hij kreeg bovendien nog een darmontsteking met de nodige bloedingen erbij.

"Een normaal gevolg van zijn infectie", werd ons gemeld.

Het was frustrerend hoe machteloos wij als ouders en ook de dokters stonden tegenover zijn ziek-zijn.

Op een dag kwam ik het ziekenhuis binnen en was men bezig bij Vincent een rectoscopie te doen. Ons kindje zag niet geel maar grauw.

Ik heb toen uren huilend aan zijn bedje gezeten en wist dat er verandering moest komen. Wilden we Vincent een reële kans geven, dan moesten we de druppels correct geven. Toen zag ik dat men Vincent "lavementjes" begon te geven. Het bloed stroomde in zijn pampertje.

Ik ben naar huis gegaan, heb automatisch voor de andere kinderen gezorgd en ben huilend tegen Willy uitgevallen: "Er moet iets gebeuren! Vincent bloedt dood! En de dokters weten allang niet meer wat ze verder nog kunnen doen. Het hoort bij zijn ziek-zijn, zeggen ze."

De hele nacht was ik wakker. Hoeveel keren ik naar het ziekenhuis gebeld heb, weet ik niet meer, maar toch leefde Vincent 's morgens nog.

Ik heb dan het Kinderheil gebeld en aan de verpleegster - Carina - gevraagd wat zij konden doen: "Jullie zijn er toch voor het heil van het kind. Ze doen alles verkeerd met Vincent. Hij glipt weg. Ik weet het. Alsjeblieft, doe iets!"

Ik kreeg Carina zover dat ze met het ziekenhuis belde, maar haar telefoontje gaf weinig resultaat. "We doen alles wat in onze macht ligt", werd door de dokters geantwoord. Radicaal gesteld wilde dit betekenen dat men Vincent had opgegeven.

Willy was intussen thuisgekomen van zijn nachtwerk: "Willy, we gaan naar de hoofdgeneesheer en zeggen dat hij met die lavementen moet stoppen.

We gaan eisen dat wij de homeopatische medicijnen mogen gebruiken. Willy, je moet mee!"

Een uur later waren we op de sociale dienst van het ziekenhuis. Huilend heb ik daar verteld wat ik ging eisen van de dokter. Myriam ging mee. Ik herinner me weinig van ons gesprek. Ik weet dat ik daar met mijn hand op tafel heb geslagen en gezegd heb dat ze moesten stoppen met Vincent zoveel ellende te bezorgen. Ik werd verkeerd begrepen: "Mevrouw, wilt u dat we met de behandeling stoppen?"

"Nee, nee, jullie moeten stoppen met de lavementen en wij, wij geven hem homeopatie..."

"Mevrouw, u denkt toch niet dat die geest in dat water dit kind zal beter maken?"

"Het is goed mogelijk dat het reeds te laat is, zeker nu we niet weten of Vincent nog weerstand heeft. Dat heeft onze homeopaat ook gezegd..."

"Ziet u wel, uw dokter dekt zich ook al in..."

Ik trilde over heel mijn lichaam. Ik was bang. Ik wilde Vincent bij me houden. Ik wilde hem genezen. Hoe, het deed er niet toe. Desnoods met drakenbloed, maar ik wilde hem kost wat kost alle kansen geven. We hebben het uiteindelijk gehaald. De lavementen werden gestopt en nu gingen we hem zelf drie keer per dag zijn medicijnen geven.

Van gezinsleven was totaal geen sprake meer. Onze dag werd verdeeld over de drie kinderen: Vincent in het ziekenhuis, Nathalie en Anne-Katrien die naar school gingen en ook aandacht nodig hadden.

Moesten we toen Guido en zijn vrouw Nicole niet hebben gehad, hun hulp, hun bereidwillig oor en het bijna dagelijkse nakijken van Vincents toestand, we zouden het nooit hebben volgehouden. We slaagden erin om Guido mee te nemen naar de intensieve afdeling. Met trillende handen heb ik ons zoontje in zijn armen gelegd. Wat me toen opviel, was dat Vincent zijn ogen opsloeg en hem bekeek, heel aandachtig en vol vertrouwen. Het volgende moment sloten zijn ogen weer en met een gelukzalige glimlach gleed hij naar dromenland. "We zullen hem eens laten zweven", zei Guido.

Guido was in staat om ons te kalmeren, ons het gevoel en de zekerheid te geven dat Vincent erdoor zou komen. Hij leerde me hoe ik het Vincent aangenaam kon maken. Hij nam de negativiteit weg die in Vincents kamer hing. Hij streelde onze jongen met handen, zo zacht, zo gevoelig, zo fijn. Hij vertelde ook dat Vincent kracht en energie van Boven zou krijgen.

Vincent werd beter. Langzaam maar zeker herstelde hij van de virusinfectie die de naam cytomegalose droeg. Na drie weken had hij weer dezelfde roze kleur als in augustus maar hij was zo zwak dat hij niet in staat was zelf zijn papje te drinken. Nog altijd werd hij gevoed met een sonde, dus van huiswaarts keren was geen sprake.

In deze drie weken ervaarden we wel een verandering in de houding van het verplegend personeel. Ze zagen ook dat Vincent beter werd, dat de alternatieve medicijnen hun werk deden.

De dokters daarentegen hielden hun been stijf. Eén uitspraak is om nooit te vergeten: "We denken dat de lavementen de darmen hebben gezuiverd en dat uw druppeltjes de darmpjes hebben gekalmeerd."

We deden er het zwijgen toe, we wisten onderhand wel beter.

Een nieuwe maand was intussen begonnen. We schreven reeds oktober. Vincent was meer dan vier maanden oud.

De tweeslachtigheid van de dokters begon me meer en meer op de heupen te werken. Vincent moest nog altijd in afzondering worden gehouden, maar toch mochten we hem mee op de gang nemen om aan onze eigen kindjes te laten zien. Je kon er gewoon niet bij.

Die eerste keer voor Nathalie, voor Anne-Katrien. Och, ze waren zo blij, zo uitgelaten, zo ingetogen ook. Nathalie koesterde haar kleine broer warm in haar armen. Anne-Katrien stond er heel dicht bij, met grote kijkers: "Kijk, mama, da's Vincent!"

Vol smaak verdween nadien haar duim weer in haar mondje. *

Anne-Katrientje ten voeten uit!

Die eerste keer, wij samen, wij vijven, een heel gezin.

Ik vergat even de touwtrekkerij. Hier - op de gang - hadden we dan toch eindelijk Vincent even helemaal voor ons alleen!

Het is op deze dag dat ik besloot om maagsondes te leren steken. Het is op die dag dat ik een datum vooropstelde. Het is op die dag dat ik helemaal voor Vincent koos.

Mijn actie begon met tegen de verpleging te zeggen dat ik helemaal geen reden meer zag om Vincent in het ziekenhuis te houden. "Ja, maar," kreeg ik als antwoord, "Wat ga je dan doen in verband met zijn verzorging?" "Dat leren jullie mij wel. Als jullie een maagsonde kunnen steken, dan kan ik dat ook!"

"We zullen het vragen aan de dokters..."

De volgende dag herhaalde ik mijn scenario. De dokters keken sceptisch, maar gaven in eerste instantie geen reactie.

De derde dag ging ik praten met de hoofdverpleegster. Ik ging nog een stapje verder. Ik zei: "Ik neem hem mee op 16 oktober. Jullie leren me tegen die tijd wel een maagsonde steken..."

Ik zal haar blik nooit vergeten. Ze keek me nu heel diep en heel ernstig aan en toen zei ze: "Ja, ik geloof dat jij dat kunt. Je hebt er het karakter voor. Je hebt ook genoeg liefde in jou om hem te verzorgen. Je hebt al lang op hem moeten wachten..."

Ik hoorde een paar dagen niets en dan ineens kwam een van de verpleegsters naar mij: "Hij mag mee. We mogen het je leren."

Stille vreugde in mijn hart. Ik heb Vincent heel zachtjes en heel dicht bij mij genomen: "Hoor je 't, jongen, je gaat mee naar huis! Gedaan met al die onderzoeken. Gedaan met al die ellende. Gedaan met de eenzaamheid. Je komt thuis, eindelijk!"

Die dag kon voor mij niet meer stuk. Ik ben uren in 't ziekenhuis gebleven. Ik heb Vincent intens geknuffeld.

Terwijl ik de volgende dagen ingewijd werd in de kunst van het steken van maagsondes, begon ik alles in gereedheid te brengen voor Vincents thuiskomst. Relax, kinderwagen, kleertjes, alles kreeg een flinke beurt. Ik bruiste van leven. Ik was gelukkig. In deze dagen werd Vincent van de monitor afgehaald. Even nog stelde ik de vraag of we niet een slaaponderzoek moesten laten doen. Maar in het ziekenhuis stelde men ons gerust: "Hij heeft al zoveel maanden aan de monitor gelegen en heeft nooit eens gemist." Het was toch heel spannend om Vincent - nu op de zaal - in een bedje te kunnen leggen zonder al die draden. Het was ook zoveel heerlijker. Je kon hem vastpakken en knuffelen zonder weerga.

Thuiskomen...

Vincent,
kind van onze liefde
wonder van leven
ons bijna ontglipt
toch weer teruggekregen
wees welkom thuis !

16 oktober 1992!
Een dag met zon. Een dag vol blijheid, uitgelatenheid. Een dag als sprankelende champagne.
Willy en ik waren al vroeg in het ziekenhuis. We pakten Vincents spullen bij elkaar, gaven hem zijn verzorging en onder het wakend oog van de verpleging stak ik helemaal zelf de maagsonde. Dit zonder me ook maar één ogenblik zenuwachtig te voelen.
Vincents welzijn lag nu helemaal in mijn handen. Ik kon de verantwoordelijkheid aan. Ik was er zeker van.
Het moment brak aan om hem zijn pak aan te doen. De ontslagbrief werd getekend en even later stond ik met onze zoon in mijn armen buiten.
De rit met de auto: Vincent slapend, heel dicht tegen me aan.
De thuiskomst: de voordeur wenkte open, de keuken baadde in het licht van de zon, Vincent heel knus neergelegd in zijn kinderwagen.
Wat later op de dag: Vincent kunnen meenemen naar school om onze meisjes af te halen. Juffrouw Rita verwoordde het na zijn overlijden als volgt: "Ik heb nog nooit een mama zo fier als jij haar kind weten binnenrijden in de wereld."

Thuis...
Vincent in de relax. Anne-Katrien in aanbidding bij hem. Nathalie helpend met het geven van zijn sondevoeding.
Vincent op het verzorgingskussen, in bad, bij Nathalie op schoot.
Thuis...
Vincent, bij de bomma op schoot, in de armen van tante Marleen, gefascineerd door de bijtjes aan zijn mobiel.
Vincent, thuis...

Die eerste avond, we waren met velen. Er werden veel foto's genomen. We dronken eindelijk de champagne die we bij zijn geboorte hadden willen drinken.
Die eerste avond: Guido.
Hij kwam met Nicole en Benjamin, de jongste van hun kinderen. Hij nam Vincent in zijn armen en ons kind koesterde zich in zijn kracht.
"We gaan Vincent eens leren tutten", zo zei hij.

We stonden er allemaal rond. We zagen hoe Vincent luisterde. We zagen hoe Vincent gretig zijn tutje nam.

Een tijdje later...

"Liesbeth, maak eens een flesje klaar voor je zoon. We gaan hem eten geven."

En toen zat ik daar ineens met Vincent in mijn armen. Guido's hand aan zijn hoofdje en wat Vincent niet kon in het ziekenhuis gebeurde nu wel: hij dronk zijn fles leeg!

HIJ DRONK ZIJN FLES LEEG!

Mijn hart stroomde over van dankbaarheid. Ik was zo gelukkig. Ik had die dag zoveel gekregen.

Vincent, thuis, eindelijk!

Terugkeer naar het hemelhuis

Nu Vincent dag en nacht bij ons was, veranderde ons gehele leven. Voor Willy was het zalig om niet meer te hoeven thuiskomen in een leeg huis. Hij genoot van de warmte en gezelligheid die nu in ons huis volop aanwezig was.

Ikzelf leefde alleen nog maar voor ons gezin. Ik mocht "zorgen" in mijn eigen omgeving. Ik groeide, ik straalde als het ware. Tijd om te gaan werken was er niet meer bij en daarom nam ik ontslag. Dit was een heel zware beslissing. Hoe kon een mens op vijf maanden tijd zo erg veranderen! Ontslag nemen was als het ware een brug achter mij verbranden. Ik kon alleen maar vooruit, met Willy en onze kindjes. Wat achter mij lag was van geen tel meer.

Een van de belangrijke dingen die we ondernamen met onze Vincent was zijn meter May verrassen.

Ze was jarig op 17 oktober en het was ongelooflijk hoe haar gezicht straalde toen we zo onverwachts met haar petekind aan haar deur stonden. Een grotere verrassing hadden we haar niet kunnen schenken.

We wilden Paul, Vincents peter, op dezelfde manier verrassen maar een zieke Kathleen zorgde voor roet in het eten. Vincent is niet meer tot bij zijn peter geraakt.

De mooiste momenten die eerste en enige week thuis waren wanneer we met ons vijven, ons gezinnetje, samen waren. Er was harmonie. Er was liefde in ons huis.

Het huishouden draaide vierkant. De was en strijk werden torenhoog. Dikwijls waren er boterhammen in plaats van warm eten, maar er was... Vincent. Er waren Nathalie en Anne-Katrien. Er waren... wij.

Eén van de mooiste avonden was wanneer Nathalie en Anne-Katrien samen ploeterden en pret maakten in het bad. Ik zat erbij met Vincent op de schoot. Hij dronk gretig zijn flesje leeg. Willy kwam erbij staan. We konden alleen maar lachen. We waren zo gelukkig.

De laatste avond is Guido nog gekomen. Hij heeft Vincent weer in zijn armen genomen, hem gekoesterd, hem kracht en energie gegeven. Onze zoon was zo goed, zo fel aan zijn tutje zuigend, zo stralend. Gulzig dronk hij nog zijn avondpap. We konden een rustige nacht tegemoet gaan...

We hebben in dit nieuwe leven met ons vijven nooit vaste routine kunnen krijgen want op zondagmorgen, 25 oktober, hebben we Vincent met een mooie glimlach op zijn gelaatje, dood naast ons in zijn bedje gevonden, levenloos naar aardse normen, levend aan de overkant waar verdriet en pijn vergeten zijn.

We voelden verbijstering, paniek. Er kwam een ziekenwagen en nogmaals probeerden we alles, maar reeds in het besef dat niets meer zou baten. Vincent, ons gouden boeleke, was niet meer...

Er was opstand in mij bij de diagnose van de dokter die Vincent probeerde te reanimeren."Wiegedood, waarom een stomme ordinaire wiegedood na alle ellende en pijn die dit kind had doorgemaakt?"

Men heeft Vincent bij ons gelaten en samen met onze kindjes hebben we hem zijn laatste badje gegeven en hem in zijn doopkleedje getooid, alles zo droevig, maar ook zo sereen.

We belden onze familie, onze meest nabije vrienden. Guido is eerst gekomen. "Hier is hij", heb ik gezegd toen ik hem Vincent in zijn armen gaf. "Hij heeft nog geweend om half vijf. Ik heb hem zijn tutje nog gegeven. Ik dacht, als hij blijft wenen, dan moet ik pap maken. En 't volgende moment was het acht uur en... hij was dood."

Mijn ouders, mijn zus... allen kwamen stilaan binnengedruppeld. Vincent ging van de ene arm naar de andere. Ik zat aan tafel. Guido had mijn hand vast. Ik huilde. Ik huilde tranen van pijn, van onmacht, van verloren geluk, van leegte...

Mijn moeder probeerde te sussen. Guido zei: "Laat haar huilen. 't Zal haar goed doen..."

Stilte, stilte na de paniek, verslagenheid, koffie, liters koffie. 's Middags liep ik nog in mijn nachtkleed.

Vincent dan weer vastpakkend, onze kindjes die hem streelden. "Vincent is in de hemel, hé mama ?"

Dat was Anne-Katrien. "Ja kind..."

Toen is Jos gekomen. Hij bracht Nele mee. Samen keken ze naar Vincent. Ons kindje had ook geen levenskracht meer gehad. Vincent was nu ook waar Martien, en Irina, en Ingrid, en zovele anderen waren.

Vincents lichaampje werd koud en met het koud worden voelde ik de impuls om hem weg te leggen. Ik dekte voor de laatste maal zijn draagwieg op en legde hem erin, heel knus in de slaaphouding waarin hij zich altijd het beste had gevoeld, met de beer van de bomma en zijn amethisten dicht bij hem.

Eindelijk had ik moed genoeg om een begrafenisondernemer te bellen. Die man kwam onmiddellijk. Hij drong zich niet op. Hij was een steun voor de dingen waar wij op dat moment niet aan konden denken.

Later kwam het moment dat we hem in zijn kistje moesten wegleggen. Waar ik de moed en de kracht vandaan haalde, weet ik niet, maar ik heb het zelf nog gedaan. Nathalietje en Anne-Katrientje hebben hem nog een aai en een kus gegeven. Willy heeft Vincent zelf uit ons huis buiten gedragen. Toen iedereen huiswaarts was gekeerd, konden we het niet vinden in ons eigen huis. We hebben de hele avond doorgebracht bij Guido en Nicole. Een avond van veel vragen, en nog meer stiltes. Een avond van proberen te doorgronden dat mysterie van leven en dood. Een avond waar de vraag naar mijn levensdoel zo scherp, zo dwingend werd.

Een avond van hoop ook. Vincent leefde verder aan die overkant van de heuvels, in die allesomvattende liefde van die ene Grote God.

Een stem klinkt vanuit de hemel ... Vincent ...

Vader, moeder, wees niet boos... anderen hebben mij meer nodig... verdriet en pijn, vergeef me. De wereld heeft mij nodig... jullie kunnen dit nog niet zien... Konden jullie mij nu maar zien, nu, zo groot.
Ik straal, ik raak jullie aan maar je voelt het niet. Ik blijf nog even dicht bij jullie.
Kon ik maar spreken met jullie. Als je luistert met je hart, moet je mij ook kunnen horen.
Ik zal niets verzwijgen, wees niet bevreesd.
Bedankt moeder, voor al die uren aan mijn bed.
Bedankt vader, voor al je steun.
Bedankt Nathalie, omdat je zo graag met me wilde spelen. Jouw aanwezigheid was als zalf op een open wonde.
Anne-Katrien, met jou heb ik een heel speciale band, dat zul je pas over heel veel jaren ontdekken. Als je niet weet wat er gebeurt, wat je overkomt, rare dingen, wees dan zeker, ik ben het, ik ben bij jou. Ik zal je nooit echt verlaten...
Ik dans nu in het licht. Ik maak me sterk voor mijn grote taak. Bij jullie was ik te beperkt. Ik kon het niet meer aan. Ik draag jullie liefde mee. Ze zal mij hier meer sterken dan bij jullie... Je gelooft dit niet. Ik weet het. Het is moeilijk te begrijpen...

De week die volgde op Vincents heengaan was er een van leven in een vacuüm. Willy en ik zaten uren met elkaar te praten. We bleven hele nachten op, in stilte, in gesprek, luisterend naar de muziek die we zo dikwijls voor Vincent hadden gespeeld.

We hielden onze Nathalie en Anne-Katrientje heel dicht bij ons en betrokken hen in alles wat we voorbereidden voor de komende begrafenis. Ons huis stond op zijn kop. Soms stond de ontbijttafel er 's middags nog. We praatten... We voelden de stilte in ons hart. De pijn was soms enorm. Een lied horen was voldoende om mekaar vast te nemen en te schreien.

En toch, toch was er Vincents aanwezigheid. Toch was er zijn kracht, zijn licht dat ons de weg wees. Toch was er zijn liefde die ons droeg doorheen deze moeilijke dagen.

Zijn hemelvaartviering - ik weigerde het een begrafenismis te noemen - was er een van dank je wel zeggen voor het leven, voor de liefde die zo ruim en rijk bij ons is mogen komen. Dank je wel zeggen voor... Vincent.

Vincent,
kind van onze liefde
wonder van leven
je mocht even bij ons thuiskomen
je straalde liefde die 5 maanden saam
toch lag je taak ergens anders
en daarom moest je gaan.

Vincent,
je straalt,
je danst nu in het Licht
maak je sterk voor je nieuwe taak
en draag onze liefde met je mee.

Vincent,
we geloven, heel diep, in je nieuwe leven
waar lijden en verdriet vergeten zijn.
Lieve kind,
even nog was je heel dichtbij
nu vlieg je weg...
Welkom thuis.

Vincent,
overwinnaar, uiteindelijk.

Het leven staat stil

De eerste weken na Vincents heengaan leefde de wereld verder zonder mij. Als een automaat zorgde ik voor het huishouden, bracht de kinderen naar school, maakte Willy's boterhammen klaar om te gaan werken en sloot me als het ware op in ons huis. Nu ik geen baan meer had en de dagelijkse zorg voor Vincent wegviel, leek het alsof ik in het ijle leefde, ik was helemaal uit mijn evenwicht gehaald.

De babyspullen werden weggezet en de kleertjes verdwenen in een doos. Het rode kruippakje dat Vincent droeg in de nacht dat hij van ons heenging, stopte ik diep weg.

Binnenin mij was het één grote chaos, ik had zoveel vragen, ik zocht zo naar de zin van dit alles. Vele mensen gingen ons uit de weg met de woorden: "Het is beter zo, je hebt nog 2 gezonde kinderen, het leven gaat voort..." Maar voor mij stond het leven stil. Ik wilde bevatten wat me overkomen was. Ik wilde een antwoord hebben op mijn vraag waarom.

Zo begon ik in een dagboek brieven aan Vincent te schrijven, heel aarzelend en schroomvol in 't begin, ijverig en volhardend later. Ik ervaarde dat ik helemaal niet op de vlucht wilde gaan voor de pijn en de leegte. Ik wilde mijn verdriet beleven, er doorheen gaan, ervan leren.

Het was een moeilijke en eenzame periode, met meer momenten van twijfel en opstandigheid dan aanvaarding en dankbaarheid.

Uiteindelijk was het Vincent zelf die me de antwoorden gaf waarnaar ik zo op zoek was. Ik wist hem heel dicht bij me, ik voelde hem, hij leidde me.

Guido en Nicole waren er steeds. Ze zeiden niet dat het leven voort ging, ze stapten mee in de trein van leegte en gemis. Ze droegen ons, samen met vele anderen.

Ook May en Paul lieten ons niet los. Ze waren voor de tweede keer meter en peter geworden van een kindje dat niet blijven kon.

Mijn ouders hadden het heel moeilijk met het overlijden van hun tweede kleinkind, maar erover praten lukte hun niet. Ze zijn de trouwste bezoekers aan het grafje van Irina en Vincent. Hun verdriet echter is te groot voor woorden.

Mijn zus Marleen was er ook voor en na. Door Vincent kregen we een veel warmer contact. Ze steunde me op haar manier heel liefdevol.

Onze kinderen zagen mij met mijn verdriet worstelen. Anne-Katrientje kwam dan zachtjes mijn armen strelen en met haar duim half in 't mondje zei ze: "Mama weent." Nathalie had zo'n grote armen en sloeg die heel stevig om me heen. Ook voor haar was het de tweede keer. En in heel haar kindzijn moest zij dit verlies een plaats weten te geven.

En dan was er Willy. Ook hij had verdriet. Het was ook zijn zoon die gestorven was. Hij werkte harder, hardnekkiger in deze tijd. De tramrails die hij moest leggen op zijn werk werden met meer kracht op hun plaats

gezet. Hij zei niet veel, hij zocht afleiding in boeken en muziek. Het werd een heel stille, droevige tijd tussen ons, zelfs lichamelijk samenzijn kon ons niet bij elkaar brengen. Eigenlijk was ik niet in staat om te vrijen, hoe kon je nu genieten terwijl je zoveel geleden had?
Het leven stond stil...

Tussentijd

Om met de leegte te leren leven, om mijn armen weer omarming te leren, besloten Willy en ik dat ik onthaalmoeder zou worden. We haalden kleine kinderen in ons huis. Ik zorgde voor hen, ik genoot van hen, er kwam weer een lach in ons huis.
Bij het pap geven aan de hele kleintjes vloeide in het begin menige traan. Ze vielen dan op het neusje van Sam of in de haarlokken van Liese.
En dan waren er Axel en Regic, beiden acht maanden en ze zouden hun eerste verjaardag vieren in de week dat ook Vincent één jaar zou zijn geworden. Ik keek dikwijls naar hen en dacht daarbij:
"Misschien zou Vincent er ook zo hebben uitgezien..."
Maar ik beleefde veel vreugde aan de kinderen. Ze hielpen me weer in het leven te stappen.
Tussendoor waren er momenten van vertwijfeling, zo van "Hoe raak ik hier ooit door?" Momenten van angst: 's nachts ging ik altijd voelen of Anne-Katrien en Nathalie nog wel ademden. Momenten van aanvaarding, van weten: Vincent leeft, zijn lichaam is gestorven, maar hijzelf leeft voort in alles wat we doen, in onze liefde...

Ik herinner me nog die morgen toen bij het ontwaken heel sterk in mij de drang aanwezig was om hem te gaan zoeken op het kerkhof. Ik kon niet snel genoeg naar zijn grafje gaan, maar toen ik naar de ontluikende heide stond te kijken die we op het grafje hadden geplant, was daar ineens het besef dat ik hem niet moest zoeken bij de doden, ik moest terug naar de levenden...

Of toen Anne-Katrien een hele tijd dan weer ziek, genezen en terug ziek werd. 't Was alsof Vincent me wilde zeggen: "Mama kijk! Anne-Katrien leeft, zorg voor haar!"

En dan die zondag in mei. 't Was moederdag. Willy was als eerste beneden. Hij riep me en warme klanken van het moederliedje van "La Esterella" wenkten me naar de keuken.

Er was een warm gevoel in mij, een feestdag zou deze moederdag worden. Tot mijn blik op Vincents foto viel en ineens was er stilte in mij. Ik kroop diep in Willy's armen en weende: "De eerste moederdag zonder Vincent!" Willy hield me heel dicht tegen zich aan en weende ook.

Samen intens ons verdriet voelend, samen intens in elkaar opgaand, samen verlegen glimlachend... terug samen één.

Dus toch een feestdag!

Overgave

Op 27 mei hebben we Vincents eerste verjaardag gevierd. Nathalie vroeg om een taart met een kaars en het bezoek van Guido en Nicole met hun kinderen. Ze heeft het gekregen, alles wat ze wilde.

Ikzelf had verwacht dat ik bedroefd zou zijn die dag, maar tot mijn verwondering was er stilte in mijn hart, een diepe en dankbare stilte. We hebben ook naar de muziek geluisterd die we al die maanden in 't ziekenhuis voor Vincent speelden. Het wekte weemoed bij ons op.

We vroegen ons af hoe Vincent er zou hebben uitgezien op zijn eerste verjaardag maar gaven het op, we konden er ons geen beeld van vormen ...

Later, nadat het "feest" gedaan was, het bezoek huiswaarts gekeerd en onze kinderen sliepen, heb ik de kaars aangestoken die we voor het eerst brandden op de laatste avond dat we hem levend in onze armen drukten. Ik keek naar de foto waar zo dikwijls mijn hand op had gerust toen ik mijn brieven aan hem schreef en vroeg me af wat ik nu het fijnste moment met

Vincent had gevonden.

Er waren er velen maar hem thuis mogen halen was de kroon op zijn korte leven.

Vincent leeft nu in het Licht van de overkant. Voor mij is zijn leven oneindig, in al mijn zoeken vond ik geen begin, er zal nooit een einde zijn...

Het leven gaat voort

Zondagmorgen ... de geur van verse koffie en warme broodjes is om mij heen ... een zondag als alle zondagen, en toch ... geen enkele zondag kan nog zijn als weleer. Zondagmorgen zal me altijd het gevoel geven van spijt, van onherroepelijkheid.

Nog dikwijls word ik wakker en is mijn eerste handelen het tasten naar dat kindje naast mijn bed.

Nog dikwijls ervaar ik dat gevoel van een koud en slap lichaampje aan te raken.

Nog dikwijls grijpt dan de paniek naar mijn keel en moet ik me heel bewust voorhouden dat Vincent niet meer HIER is, maar dat hij leeft aan die andere kant, die ander dimensie die voor ons slechts mysterie en ontzag oproept. Het is dan goed dat Willy er is, dat hij een stevige schouder heeft om tegenaan te liggen en een krachtige arm die me tegen hem aandrukt.Het is dan goed onze twee andere kinderen dicht bij mij te hebben, dat ik hun gelach en geruzie kan horen, hun spel en plezier in mij kan opnemen. Meer dan ooit kan ik dan gelukkig zijn om hun leven, meer dan ooit weet ik wat het betekent twee gezonde en levenslustige kinderen om me heen te hebben.

Het blijft mij nog altijd een raadsel dat Vincents doodsoorzaak die veelbesproken maar tot nu toe nooit opgehelderde wiegedood moest zijn. Het vervult me met onmacht en ook met een onnoemelijk verdriet dat wij mensen te klein zijn om het mysterie van leven en sterven te bevatten.

Over Vincent is zo gewaakt geweest, niets werd aan het toeval overgelaten, eerst in 't ziekenhuis met al die apparatuur, later thuis door bijna dag en nacht alert te zijn en juist dan, op een ogenblik dat je aandacht verslapt - omdat je er meer vertrouwen in krijgt, omdat je ook zo aan slaap toe bent - op zo'n moment zei Vincent "dag" en daar sta je dan, je hart overlopend van liefde, je armen zo groot en zo leeg.

Verdriet verwerken, ervoor kiezen om er doorheen te gaan, het is moeilijk, onmenselijk soms. 't Is nu bijna een jaar geleden sinds Vincent is heengegaan en de mensen om je heen vinden dat je er nu wel "over" moet zijn.
Raak je er ooit wel "over"?
Ik kan er geen antwoord op geven, omdat ik het niet weet. Ik mis onze kindjes, ik kan ze niet zien opgroeien, ik zal nooit bomma van hun kinderen kunnen zijn. Een deel van mijn eigen toekomst verdween met hun sterven. Ik voel me maar half.

En juist op die momenten is er dan die nabijheid van Vincent, voel ik hem om mij heen en weet dan dat ik verder moet leven, gelukkig moet zijn met wat het leven me ondanks alle verdriet en pijn toch aan vreugde heeft geschonken.
Ik moet dan naar Nathalie kijken, die met haar zeven jaren bruist van leven, nooit ophoudend te vragen: "En wat dan, en waarom, en...?"
Ik glimlach om ons Anne-Katrientje en hoor haar weer zeggen die eerste keer toen ze zo dicht bij haar broer stond: "Kijk 's mama, da's Vincent!" en ik zie haar duimpje weer smaakvol in haar mondje verdwijnen. Anne-Katrien toen, nu en zo zal ze later ook zijn: sprankelend, vol aandacht en toch zo in zichzelf.
En ik prijs mij gelukkig omdat ik Willy, mijn man zo dichtbij weet. Ik koester mij in zijn liefde en nooit aflatend optimisme.
Is het dan niet waard om verder te leven en proberen gelukkig te zijn?
Is het dat niet wat dat ene kleine hulpeloze kindje, maar oh zo grote overwinnaar Vincent over de grens van de dood heen aan ons wilde duidelijk maken?
Ondanks alles wat voorbij is en nooit meer herdaan kan worden, durf ik nu zeggen: "Vincent, je wist wat leven was, je blijft 'leven' voor ons!"

Zondagmorgen ... de geur van koffie en warme broodjes is vervaagd. Onze kinderen spelen hun spel, Willy is dicht bij me.

Ondertussen zijn Edith in april en Tobias in mei geboren, twee nieuwe mensjes, nieuwe kracht, liefde in haar volle pracht.

Het was moeilijk om hen te bezoeken in 't moederhuis. Ik was blij voor hun sprankelende leven en toch kon ik gevoelens van afgunst niet volledig van mij afzetten.

Tobias is mijn petekind, hij krijgt een speciaal plaatsje in mijn hart. Ik hoop dat hij vooral JA mag blijven zeggen tegen het leven.

En zo is het leven dan toch als een sprookje. Er zijn goeie en moeilijke dingen. Er is vreugde en er is droefheid. Er is uiteindelijk die ene voltooiing die alles inhoudt.

Dankbaar zijn voor dit leven van Edith en Tobias wil ook zeggen dankbaar zijn voor het leven van Irina en Vincent.

Irina,
vredeskindje, ze zette me op weg om Martien in volle kracht te ontmoeten, haar te begeleiden op een manier die me ondanks alle pijn diep gelukkig maakte. Ik mocht steun geven waar het nodig was. Ik mocht waken aan Martiens sterfbed. Het heeft me heel erg ontroerd. Ik heb er geen woorden voor.

Vincent,
doorheen zijn leven leerde ik meer dan ooit wat pijn is, wat liefhebben is, wat bevrijding is. Mijn oude ik brandde in deze periode volledig op. Ik werd geboren als een nieuwe mens, meer beproefd, meer bewogen, meer door-leefd.

Ik ben inniger, warmer, liefdevoller geworden.

Zoals Vincent me toen liet weten: "Ik straal, ik dans nu in het Licht."
Zo voel ik mij soms stralen en dansen in datzelfde Licht. Hoopvol gestemd dat wij allen gelukkig mogen en kunnen zijn in de oneindigheid van Gods warme en eeuwige Liefde.

Het maakt dan niet meer uit of we aan deze of gene zijde leven.
Vincent, jij overwinnaar, uiteindelijk.

Siel

2 - 10 - 1990
1 - 2 - 1991

Dag, lieve, kleine Siel,

Je hebt ons vier maanden zo intens gelukkig gemaakt.
We hadden tranen van geluk.

Maar nu, lieve meid, voelen we ons zo leeg...
en hebben we een overvloed van tranen... van verdriet.

Vier maanden lang was het elke dag feest.
Nu is het vuurwerk weg en blijven de lichtjes
en kleuren eenzaam over in ons hart.

Onze vlammetjes zijn piepklein
maar je eigen vrolijk lachje
blijft levenslang bij ons
en kan ons een beetje verwarmen
samen met de steun
van onze lieve familie en vrienden
Slaap zacht, poppemie.

        Mama Chris en papa Karl

Het leegtegevoel rond jou, Sielke, blijft, levenslang, daar zijn we van overtuigd. De wereld draait maar voort en voort en wij hebben het gevoel dat ons
wereldje zonder jou nooit meer op volle toeren kan draaien.
Het verlies is té groot, té triest, té intens. Maar toch blijven we over je
vertellen, Siel.
De veel te korte tijd die we samen mochten doormaken is te mooi geweest
om dit stil te zwijgen.

Je had met je fonkelende levendige oogjes, je doordringend lachje en je
eigen kleine tekentjes een stukje veroverd van iedereen die met je bezig
was.
We hebben genoten van elk momentje, verzonnen de gekste liedjes, gaven
je zoveel troetelnamen, deden zoveel fijne dingen tesamen, teveel om op te
noemen, maar in gedachten gaan ze nooit meer weg.
Onze kleine vlammetjes wakkeren we aan.
Met veel vallen en opstaan lijkt het soms eindeloos moeilijk, maar als mama
en papa lukt het ons.

Je zusje Hanne helpt ons hierbij wel en we zijn blij dat ze kleine "trekjes"
van je heeft.

Bij jouw naam tekende ik bloemetjes evenals bij Karen, Gertje, Fieke,
Sebastiaan, Sofie, Irina en Vincent.
Bloemetjes die voor ons veel betekenen en die alles wat we samen met je
beleefden mooi willen houden.
Ze staan naast je foto op de kast, vaak samen met een brandend kaarsje, een
"lichtje" waar je - hoe klein je ook was - al door aangetrokken werd.

En ook op je grafje willen we het mooi houden en zeggen we met bloemetjes
hoezeer we van je houden, hoezeer we je missen!

We zien je dolgraag en je houdt bij ons een héél speciaal plaatsje.

Tot slot

Een moeder vertelt:
Het feit dat ik al die maanden mijn gevoelens in een dagboek bijhield, was voor mezelf van grote emotionele waarde, maar nooit echt geschreven met de bedoeling het met andere mensen te delen. En toch groeide toen reeds in mij het besef dat het leven van mijn kind en het leven van die andere kindjes die heengingen door "wiegedood" geen leven was dat binnen de gezinsgrenzen mocht blijven. Ik hoop dat de wetenschap - klassiek of alternatief, het doet er niet toe - het mysterie van de wiegedood ooit mag ophelderen.

Ik ervaar een enorm ontzag en onmacht in het proberen doorgronden van het mysterie van leven en sterven.
Zijn wij mensen daar niet te klein voor? Is die allesomvattende, liefdevolle God niet te groot voor ons denken? Moeten we niet leren aanvaarden dat de dingen die op onze weg liggen bedoeld zijn ter ontwikkeling van onszelf?

Het klinkt allemaal zo banaal, zo algemeen. Het enige dat hier telt is dat wij allen mama's en papa's zijn die een of meerdere kinderen verloren aan de dood. We moeten leren omgaan met verdriet, pijn, leegte en gemis en NIEMAND kan voor een ander invullen hoe dat moet.

Veel sterkte aan ieder die door leegte en gemis moet. Hopelijk vinden zij de kracht om samen met anderen terug een zinvolle toekomst op te bouwen. Een toekomst die nooit meer zal zijn zoals voorheen maar eens wel inniger, mooier misschien maar steeds met dat lege gevoel ergens diep en stil in ons hart.

Opvang en begeleiding van getroffen gezinnen

Ook als vele goedbedoelende familieleden, vrienden en kennissen je omringen, staan ouders na het plotse overlijden van hun kind, vaak alleen met hun verdriet. Enkele verenigingen willen hieraan tegemoet komen. Het uitwisselen van gevoelens of ervaringen met lotgenoten, geeft immers een rustgevend gevoel.

Ze ontdekken vaak begrip, nieuwe gezichtspunten, andere gevoelens en manieren om met hun verdriet om te gaan. Misschien leren ze op deze wijze een eventuele andere zienswijze van hun partner te aanvaarden.

Uiteindelijk moeten we allen alleen door diep verdriet. Wel kunnen ouders door contact met andere ouders die hen begrijpen, gesteund worden, een beetje gedragen worden, omdat ook zij een zelfde pijnlijke weg gingen en nog steeds gaan.

Bij de diverse organisaties kan je terecht voor al je vragen en problemen. Je kan er een literatuurlijst bekomen met boeken en artikels die meer informatie bieden. Er worden individuele contacten, samenkomsten in beperkte groep en jaarlijkse bijeenkomsten georganiseerd.

In verband met het overlijden van een kind, werden volgende verenigingen opgericht:

In België:

VZW SIDS

Vlaamse vereniging voor ouders van wiegedood en near-miss-kindjes
Centraal contactadres:
M. en Mevr. Dehoorne - Olders, Egellaan 42, 8400 Oostende.
Telefoon: 059/26.83.96.

Met lege handen

Ouders van een overleden baby
Centraal contactadres:
Gaston en Katlijn Eysermans - Vuerstaek, Parklaan 4, 3010 Kessel-Lo.
Telefoon: 016/26.00.55.

Ouders van een overleden kind

Centraal contactadres:
Bart en Mieke Verhaeghe - Lecompte, Vlasrootstraat 3, 8501 Heule.
Telefoon: 056/37.07.61.

In Nederland:

Ouders van een overleden kind

Contactadres:
Postbus 418, 1400 AK Bussum.
Telefoon: 055-213 550

Ouders van wiegedood-kinderen

Contactadres:
Postbus 293, 6700 AG Wageningen.
Telefoon: 033-751 487.

Dankwoord

Voor de uiteindelijke realisatie van dit boek:
Karel Claes van de uitgeverij KomKom.

Voor advies en steun:
Patrick Derde, Boutersem.

Voor initiële raadgeving:
Paula Loeckx, Holsbeek.

Voor hun bijdragen:
Prof. Dr. Hugo Devlieger, Universitaire ziekenhuizen K.U.Leuven
Prof. Dr. Emmanuel Keirse, Universitaire ziekenhuizen K.U.Leuven.

Voor het uitschrijven van de diverse getuigenissen:
Sigfried en Patricia Ceulemans - Joris, Herent
Jan en Dany De Boever - Van Nimmen, Bertem
Koen en Kristel De Cooman - Wijnen, Heverlee
Willy en Liesbeth De Jongh - Philips, Merksem
Luc en Carine Tondeur-De Camps, Lennik

Voor hun getuigenis en illustraties:
Karl en Chris Decré - Vandenberghe, Kessel-Lo

Voor financiële ondersteuning:
Informatica Advies Bureau bvba, Boutersem

Dank aan ieder die mensen in hun leegte en verdriet een handje wist en weet toe te steken.

Anita Van Gils, Boutersem